afgeschreven

10636616

‘Sabatina’s verhaal is een fascinerend verslag over de manier waarop een buitengewoon moedige moslima zich van haar familie en van haar geloof bevrijdt. Ze betaalt een hoge prijs om het leven van haar keus te leiden en haar eigen geloof te vinden. Ze klinkt oprecht, respectvol en zelfs meedogend jegens diegenen die haar stelselmatig hebben mishandeld en ter dood hebben veroordeeld. Iedereen die zich bekommert om de mensenrechten zou Sabatina’s verhaal moeten lezen. Tegenwoordig wijdt ze het grootste deel van haar tijd aan de bevrijding van andere moslima’s die zich geconfronteerd zien met een bestaan van mishandeling en opsluiting, en die het risico lopen door hun eigen familie te worden vermoord. Waren er maar duizenden Sabatina’s.’

Ayaan Hirsi Ali

www.boekerij.nl

Sabatina James

Mijn vlucht naar vrijheid

Op aanraden van de politie zijn de namen van alle mensen in dit boek om veiligheidsredenen veranderd. Ze bestaan allemaal en wonen in Oostenrijk en Pakistan.

ISBN 978-90-225-5565-1
NUR 302

Oorspronkelijke titel: *My Fight for Faith and Freedom*
Oorspronkelijke uitgever: Phoenix Books
Vertaling: Bob Snoijink
Omslagontwerp: DPS design & prepress services, Amsterdam
Foto voor- en achterzijde omslag: © Thommy Mardo
Zetwerk: CeevanWee, Amsterdam

Volgens de Pakistaanse wet staat op godslastering de doodstraf. In 1991 is het betreffende wetsartikel 295 c van het Wetboek van Strafrecht aangescherpt met de toevoeging dat in geval van blasfemie jegens de islam of Mohammed alleen maar sprake kan zijn van vrijspraak of doodstraf. Op basis van dat wetsartikel wordt iedere christen met arrestatie en doodstraf bedreigd.

Er vinden voortdurend rechtszaken wegens godslastering plaats die eindigen met het vonnis van de doodstraf. Maar voor de in Pakistan woonachtige christenen is er een nog groter gevaar dan de wet, en dat zijn de fanatieke moslims, die hun medeburgers maar al te vaak proberen te lynchen wanneer ze eenmaal terechtstaan.

In 1998 werd een 33-jarige vader van vijf kinderen ter dood veroordeeld nadat hij door een minderjarige was beschuldigd. Het hooggerechtshof vernietigde het vonnis wegens gebrek aan bewijs. Niettemin zit de man nog steeds gevangen en heeft hij twee moordaanslagen overleefd. Fanatieke moslims hebben gezworen hem te vermoorden. Alle veertien christelijke gezinnen in zijn woonplaats hebben moeten vluchten en onderduiken.

Christenen uit Pakistan krijgen wegens de vervolging in hun vaderland asiel in Duitsland en Oostenrijk.

Dit boek is opgedragen aan al die mensen.

VOORWOORD

Soms, wanneer ik alleen over straat loop, word ik bevangen door angst. Hoor ik voetstappen? Word ik gevolgd? Dan draai ik me met een ruk om en kijk ik of er iemand is, en daarna loop ik zo snel mogelijk zonder om te kijken naar huis.

Ik ga niet vaak alleen de straat op.

Wanneer ik alleen in de metro zit en er stapt een Pakistaan in, schrik ik. Zoekt hij mij soms? Is hij gestuurd om mij te grazen te nemen? En zo ja, door wie? Mijn ouders? Mijn familie? Vervolgens stap ik bij de eerstvolgende halte uit om te zien wat hij doet. Pas wanneer de trein doorrijdt en de Pakistaan me passeert zonder naar me te kijken, ontspan ik weer een beetje.

Ik zit niet vaak alleen in de metro.

Soms schrik ik me een ongeluk als ik op bed lig en mijn mobiele telefoon gaat over. Hebben ze mijn nummer alweer gevonden? Willen ze me weer bang maken? Misschien weten ze dan ook waar ik woon. Ik heb al een paar keer een ander nummer aangevraagd, maar telkens wisten ze het weer te vinden. Doorgaans bellen ze rond middernacht en dan slaap ik meestal al. Ik zeg geen woord als ik opneem, maar ze weten dat ik het ben.

'We vinden je heus wel,' schreeuwen ze. 'We zullen je krijgen. Binnenkort nemen we je te pakken.' Dan weet ik dat ik naar een ander adres moet uitzien.

Voor de zoveelste keer.

In november ben ik eenentwintig geworden. Ik ben geboren in een dorpje in het noordoosten van Pakistan en tegenwoordig woon ik in een stad in een ander land waar ik niemand ken en hoop dat niemand mij herkent. Ik ben wat criminologen een 'duikboot' noemen: ik heb geen vaste woon- of verblijfplaats, amper vrienden en heel weinig contact met de buitenwereld. Ik ben Oostenrijks staatsburger en ben erg bang dat ik mijn volgende verjaardag niet zal halen.

Dat klinkt misschien melodramatisch en dat was ook de reactie van de autoriteiten toen ik voor het eerst met mijn verhaal naar de politie ging. Waarschijnlijk dachten ze dat ik een tiener was die te veel horrorfilms had gezien en een voorliefde had voor pulpverhalen.

Ik moet bekennen dat mijn verhaal voor westerlingen moeilijk te vatten is. Het begint in Sarleinsbach, een dorpje in de provincie Oberösterreich. Het speelt zich af in Linz, een stad met tweehonderdduizend inwoners, in Lahore, de op twee na grootste stad van Pakistan en in een Pakistaanse Koranschool, waar gelovige moslims hun kinderen naartoe sturen zodat ze net zulke toegewijde gelovigen worden als hun ouders. Het is een verhaal over liefde, over geloof en over de conflicten die de kop opsteken wanneer je opgroeit in Europa, maar moet leven alsof je nog steeds in Pakistan woont.

Ik heb niets gedaan waarvoor ik me moet schamen, niets wat in Europa verboden is. Natuurlijk zijn er momenten in mijn leven geweest die mijn vader met zijn strenge Pakistaanse opvattingen niet bevielen. Maar niemand bedreigde me met de dood, zelfs niet in Pakistan. Mijn jongste jaren verschilden nauwelijks van die van talrijke andere Oostenrijkse kinderen. Ik ging naar school, haalde af en toe goede cijfers en af en toe slechte. Ik had vriendinnetjes, ging naar de bioscoop, hing rond in cafés en op mijn zestiende kreeg ik mijn eerste vriendje.

Mijn ouders wilden echter dat ik met een neef in Pakistan trouwde. Dat wilde ik niet, dus liep ik van huis weg. Ik liep weg van hen, van hun Pakistaanse normen en waarden en vooral van alles wat de Koran van mij als vrouw verlangde. Ik twijfelde aan de islam, stelde vragen en vond de antwoorden in een andere godsdienst. Na maandenlang te hebben rondgesjouwd met mijn twijfels, bekeerde ik me tot het christendom.

'Kom erop terug. Je weet welke straf er in Pakistan op staat als je van geloof verandert,' zei mijn vader destijds.

Het was duidelijk dat hij het over de doodstraf had.

In Pakistan heeft de sharia, het islamitische rechtssysteem, het voor het zeggen. Volgens de sharia moet een islamitische vrouw die zich tot het christendom bekeert door steniging ter dood worden gebracht. Ondanks het feit dat mijn ouders in Oostenrijk wonen, voelen ze zich verplicht de sharia na te leven.

Heb ik echt reden om bang te zijn? Ik weet het niet en niemand kan het me vertellen. Niet de maatschappelijk werker tot wie ik me twee jaar geleden heb gewend, niet mijn kennissen en ook de politie niet. Ik heb gehoord van meisjes met soortgelijke ervaringen die vervolgens door hun familie zijn vermoord: meisjes die net als ik in Europa waren opgegroeid en door hun ouders naar Pakistan waren teruggesleept. In alle gevallen eindigt hun verhaal met de dood.

Ik weet niet of mijn ouders die definitieve stap ook zouden zetten. Wat ik wel weet, is dat ik bang ben. Met die angst moet ik elke dag leven. Ook weet ik dat ik geen normaal leven heb geleid sinds dit allemaal is begonnen.

Sinds ik christen ben geworden, ben ik vijf keer verhuisd. Eerst van mijn ouderlijk huis naar een noodopvang en vandaar naar een appartementje. Toen ze me hadden gevonden, ben ik naar een ander appartement verhuisd. Nadat ze me weer hadden gevonden, ben ik naar een andere stad verhuisd. Tegenwoordig woon ik in de achterkamer van een kantoor. Het is niet groot, maar ik heb tv, een computer en een telefoon. Het is mijn thuis zolang ik me er veilig voel.

Zodra ik alleen ben, ben ik bang, en ik ben vaak alleen. Vooral de weekeinden zijn moeilijk. Dan zit ik op de bank in het kantoor en zijn de mensen die er door de week werken bij hun gezin. Ik zit niets te doen, kijk tv en wacht tot het weer maandag is.

Ik vind het niet prettig om naar buiten te gaan en ik doe het alleen in gezelschap. Ik ga zelden naar de bioscoop omdat ik me onveilig voel in het donker. Het is al ruim een jaar geleden dat ik een tijdje in een café heb doorgebracht. Ik woon een heel eind bij mijn familie vandaan, maar het is nog altijd onmogelijk om geheel van ze verlost te zijn. Toen ik voor het laatst naar een café ging, kwam er een tienerjongen die ik nog nooit eerder had gezien op me af om te vragen of ik de Pakistaanse was die van huis was weggelopen.

Ik ging direct terug naar mijn onderduikadres.

Als ik was zoals mijn ouders van me verlangden, zou mijn isolement me niet dwarszitten. Dan zou ik een braaf Pakistaans meisje zijn dat voor het huishouden zorgt en een kudde kinderen grootbrengt, en zou ik een fatsoenlijke vrouw zijn voor mijn man, die ook mijn neef is.

Maar zo ben ik niet, want ik ben geen Pakistaans meisje meer. Ik ben op mijn tiende uit Pakistan vertrokken, opgegroeid in Oostenrijk en in tegenstelling tot mijn ouders begrijp ik hoe men daar leeft. Ik praat niet alleen net zoals Oostenrijkse meisjes van mijn leeftijd, ik kleed me zoals zij, gebruik dezelfde make-up, luister naar dezelfde muziek, lees dezelfde boeken en kijk naar dezelfde tv-programma's. Ik ben een Oostenrijkse, maar ik heb ouders die nog steeds leven volgens normen en waarden die de mijne niet zijn.

Ik weet niet hoe reëel de dreiging is. Ik ken mijn ouders en weet dat ze diep vanbinnen schatten van mensen zijn. Maar tegelijkertijd besef ik hoe belangrijk eer is voor Pakistanen, en ik heb hun eergevoel gekwetst.

Ik leef en adem nog steeds, maar de dreiging heeft zich in mijn denken genesteld. De angst is zo enorm dat ik niet kan leven zoals westerse meisjes. Zo zou ik wel graag leven.

Mijn ouders hebben gedreigd me te vermoorden. Ik zit gevangen tussen twee onverzoenlijke culturen. Mijn naam is Sabatina James en dit is mijn verhaal.

1

Ik wilde altijd al naar Oostenrijk gaan, zelfs toen ik klein was en in Pakistan woonde. Niet dat ik veel van Oostenrijk wist. Ik wist dat het in Europa lag, heel ver weg. Ik wist dat er sneeuw lag, dat de mensen er een andere taal spraken en andere kleren droegen. Ik wist dat de mensen er veel geld hadden en een ander, beter leven dan wij. Dat was voldoende. Ik wilde erheen.

Destijds woonden we in Dhedar, een dorpje in de provincie Gujrat in het uiterste noordoosten van Pakistan, ongeveer twee uur rijden van Lahore. 'We', dat zijn mijn vader Ahmed Ali, mijn moeder Fatima, mijn broers Hassan en Adnan, mijn zus Aisha, mijn grootvader Mohammed Ali en zijn vrouw Amina.

We woonden in een boerderij en naar Pakistaanse maatstaven hadden we het goed. Het huis was niet zo groot, maar wel gerieflijk en bestond uit twee gebouwen die aan de voorkant door een muur met elkaar waren verbonden. Links was het woongedeelte, een gebouw van leem met twee kamers. Het tweede gebouw was de *bahar wala ghar*, wat letterlijk 'het andere huis' betekent. Dat was het onderkomen van de dieren. We hadden maar een paar kippen en drie buffels. Plus een hele bende slangen, al hadden die niets met ons te maken. Het wemelt van de slangen in Pakistan. Ik vind ze nog steeds vreselijk.

Een huiskamer hadden we niet, dus de meeste tijd brachten we door op de binnenplaats tussen de twee gebouwen. Daar zaten we, aten we en in de zomer, wanneer de nachten warm en zwoel zijn, sliepen we daar ook. In het midden was een eenvoudige waterput, en de letterlijke vertaling van het woord daarvoor is 'koe'. Boven het ronde bovengedeelte met een doorsnee van ruim een meter tachtig zat een houten spil die continu door twee koeien werd aangedreven, vandaar de naam. Daardoor zakte er een eind touw naar het water. Aan dat touw zaten een heleboel kleine bakken die voortdurend koud water uit de diepte naar boven brachten, waar het vervolgens in een kanaal werd gekieperd. Dat was onze watervoorziening.

We waren niet rijk, maar hadden wel aanzien en behoorden tot de hoogste klasse van het dorp. Die status was grotendeels te danken aan mijn grootvader, een strenge, uiterst vrome man. Hij was muezzin van Dhedar, de persoon die oproept tot gebed, en iedereen, van jong tot oud, kende hem. In de moskee gaf hij islamonderwijs aan de kinderen. Iedere ochtend kon je mijn grootvader in het hele dorp horen wanneer hij de mensen vanaf de minaret opriep tot gebed. Hij voltrok ook huwelijken en ging voor wanneer er iemand uit het dorp werd begraven. Als iemand in Dhedar met een probleem kampte, ging hij naar hem toe voor raad. Hij was iemand die eerbied verdiende en ook binnen de familie werd dat begrepen: hij was het gezag, de persoon die besliste wat er in de familie gebeurde. Dat was altijd zo geweest en het bracht mijn vader vaak in een moeilijk parket.

Mijn vader vertrok op zijn achttiende uit Pakistan, kort

nadat hij van school was gekomen. Hij ging naar Duitsland om als kraanmachinist te werken en kwam pas jaren later weer terug om met mijn moeder te trouwen. Zoals gebruikelijk in Pakistan hadden de twee elkaar nog nooit gezien voor de bruiloft. Geheel in overeenstemming met de Pakistaanse traditie was het huwelijk geregeld door mijn vaders vader Mohammed Ali, maar dat vond mijn vader niet erg. Volgens mij was hij zelfs gelukkig met het huwelijk met mijn moeder, omdat zij destijds in zijn dorp Saida Braham een mooie, begerenswaardige vrouw was. Maar na de plechtigheid bleef hij maar een korte tijd voor hij naar Duitsland terugkeerde. Mijn moeder bleef bij mijn grootvader wonen. Mijn vader kwam maar één keer per jaar op vakantie en vervolgens negen maanden later voor de geboorte van zijn kind.

In Pakistan zag ik mijn vader dus maar zelden. Ik werd grootgebracht door mijn moeder, die even streng was. Niet dat ze me vaak sloeg, maar vanaf heel jonge leeftijd liet ze er geen misverstand over bestaan wat mijn rol in het leven zou zijn: die van huisvrouw. In die eerste jaren moest ik al voor mijn kleine zusje zorgen, in de keuken helpen en meewerken aan de rest van het huishouden. Mijn broers, die ook jonger waren, hoefden dat allemaal niet.

'Zij zijn mannen, jij bent een vrouw,' zei mijn moeder altijd.

Maar in die tijd was ik heel gelukkig. Ik speelde vaak met de buurkinderen in het veld achter ons huis. En in tegenstelling tot de meeste andere dorpskinderen mocht ik naar school. In Pakistan, waar geen leerplicht is, was dat een groot voorrecht. Elke ochtend liep ik met een paar andere meisjes uit mijn klas vijf kilometer naar het naburige dorp Dhunni, waar de enige fatsoenlijke school van de streek was: een basisschool waar Engels, Urdu, wiskunde, gymnastiek en godsdienstonderwijs werd gegeven.

Ik vond het leuk om naar school te gaan, al viel het niet mee om elke dag naar het naburige dorp op en neer te lopen. Ik hield van leren en haalde hoge cijfers.

Toch wilde ik weg uit Dhedar. Ik wilde in Europa wonen, net als mijn vader. In mijn verbeelding was Europa een paradijs, een plek waar iedereen een heleboel geld had, in mooie auto's reed en dure kleren droeg. In feite was dat het beeld dat mijn vader schilderde wanneer hij in de zomer met vakantie naar huis kwam en foto's van een mooi, schoon landschap met enorme huizen liet zien. Bij elk bezoek bracht hij speelgoed mee dat ik nog nooit had gezien. Dat was groot en felgekleurd en was gemaakt van heel ander materiaal dan de aftandse en versleten dingen waarmee we doorgaans speelden.

Overigens was mijn vader niet de enige van ons dorp die naar het buitenland was gegaan. Er was weinig werk in Dhedar, dus was werk zoeken in het buitenland voor veel mannen de enige manier om uit het dorp en over de grens te komen. In de loop der jaren emigreerden een aantal meisjes met wie ik in Dhedar speelde naar Engeland. Wanneer ze in de zomervakantie terugkwamen voor bezoek aan hun familie, was het altijd feest. Alle kinderen van het dorp dromden ijlings samen om naar hun verhalen over die andere wereld te luisteren. De meisjes hadden een heleboel te vertellen, over muziek, kleren, Engeland, de scholen, de popsterren en het leven daar in het algemeen. Voor mij was het bij elk bezoek alsof die meisjes zelf popsterren waren. Ze leken zo westers, zo anders dan wij, gewoon omdat ze zulke andere kleren droegen. Ze droegen spijkerbroeken en T-shirts in plaats van de Pakistaanse nationale klederdracht waarin ik gekleed ging.

Natuurlijk wilde ik net zo zijn als zij en ik zeurde bij mijn moeder om de rest van het gezin te laten emigreren om bij mijn vader in Duitsland te kunnen wonen. Maar mijn moeder zei gewoon dat dit niet kon.

Toen ik acht was, verhuisde mijn vader van Duitsland naar Oostenrijk om voor een aannemer in het Mühlviertel, het Molendistrict, te werken. We zagen elkaar bijna nooit, maar af en toe stuurde hij een brief met foto's. Er zat zelfs een keer een foto van hem op de kraan bij. De hele familie dromde bij elkaar in huis om die verbijsterende machine te bekijken. Iedereen wilde de foto vasthouden. Mijn grootvader was heel trots dat zijn zoon die merkwaardige machine kon bedienen. Toen mijn moeder hem aan de knoppen van dat monster zag, was ze blij dat ze zich nu kon voorstellen dat haar man het echt gemaakt had in Europa. Ze haastte zich van het ene huis naar het andere om de foto aan alle buren te laten zien. Niemand kon uitleggen wat mijn vader precies met die kraan deed, maar dat maakte niet uit.

Toen hij dat jaar met de zomervakantie terugkwam, zei hij dat hij ons spoedig zou komen halen. Omdat hij dat al zo vaak had beloofd en er nooit iets van was gekomen, verkoos ik hem niet te geloven om niet weer teleurgesteld te worden. Maar kort na mijn tiende verjaardag zou het dan echt gebeuren.

Ik was net thuis van school, toen ik een motorfiets op de binnenplaats zag staan. Hoewel we vaak bezoek hadden, kwam er maar heel zelden iemand op een motorfiets. Ik ging naar het raam om te zien wie het was. Het was de postbode. Mijn grootvader nam de brief in ontvangst en scheurde hem open. Er zaten visa in voor mijn moeder, broers, zus en mijzelf. Ik was nog nooit zo uitgelaten geweest. Zelfs mijn grootvader, die zijn gevoelens nooit toonde, was zichtbaar opgetogen, en dat betekende dat het iets heel bijzonders moest zijn.

In september 1992 gingen we op reis. We hadden visa en de vlucht was al geboekt: van Lahore naar Karachi en vandaar naar Dubai, en vervolgens in één ruk door naar Wenen. Ik had afscheid genomen van mijn vriendinnetjes in het dorp en mijn schooluniform ingeleverd. Mijn vader was ons komen ophalen.

Binnen een paar uur hadden we onze belangrijkste spullen gepakt: een paar kledingstukken, wat speelgoed en enorme hoeveelheden specerijen, die mijn moeder wilde meenemen. Ze had geen idee hoe het zou zijn in Oostenrijk, maar was ervan overtuigd dat ze er geen Pakistaanse kruiden kon kopen.

De nacht voor we naar het vliegveld in Lahore gingen, kon ik niet slapen van alle opwinding. Het drong tot me door dat we echt op reis gingen en ik had geen idee wat ons in Oostenrijk te wachten stond. Ik vroeg me af hoe de mensen er zouden praten en vooral of ik hen zou verstaan. Ik had wel een paar Engelse zinnen geleerd op school, maar Duits? Ik sprak geen woord Duits. Hoe zouden we daar wonen? Hoe zou ons huis eruitzien? Wat zouden we eten? Ondertussen hoorde ik dat ze in Oostenrijk fruit hadden met merkwaardige namen zoals *Apfel, Kirsche* en *Erdbeere*, maar ik had geen flauw idee hoe die eruitzagen, omdat ze in Pakistan als exotisch golden en aan rijke mensen voorbehouden waren. Zelf kende ik alleen watermeloenen en mango's, want die groeiden in elke Pakistaanse tuin.

Ik maakte me ook zorgen om wat ik zou dragen. Tot dan toe had ik bijna uitsluitend een *salwar kameez* gedragen, de nationale dracht voor vrouwen in Pakistan, een lang hemd tot onder de knie. Ik had er een heleboel, maar geen enkele spijkerbroek en ook geen T-shirts zoals westerse meisjes droegen.

De volgende morgen trok ik mijn beste salwar kameez aan, een gele, die mijn moeder speciaal voor de reis had genaaid. Mijn grootvader bracht ons naar het vliegveld, waar alles heel snel ging. We brachten onze bagage naar de balie en namen afscheid van onze grootvader, die opeens veel haast leek te hebben. Hij was een heel autoritaire man die kennelijk geen zin had zijn gevoelens te uiten en daarom de voorkeur gaf aan een snel en weinig spectaculair afscheid.

Vervolgens zat ik in het vliegtuig en kende mijn verbazing geen grenzen. Alles was zo nieuw, zo onwerkelijk. Ik had nog nooit een vliegtuig gezien behalve op tv, of als een stipje met een witte staart hoog in de lucht, wanneer er toevallig een over ons dorp vloog. En nu zat ik in een toestel van Pakistan International Airlines op weg naar Europa. Ongelooflijk.

Ik zat met mijn moeder en mijn zus op één rij. Mijn vader was met mijn broers achter ons gaan zitten. Ik mocht aan het raampje zitten, naast mijn moeder. Het vliegtuig was vol. Er waren veel Pakistanen aan boord, bijna allemaal mannen, en een paar Engelsen. Er hing een vreemde geur van schoonmaakmiddel en toen het toestel langzaam naar de startbaan taxiede, raakte ik opeens in paniek. Dat lag aan de stewardess, die de verplichte veiligheidsinstructies gaf en mij daarmee de stuipen op het lijf joeg. Wat zou er gebeuren als we echt in zee zouden storten? Ik barstte in tranen uit. Konden we niet met de auto naar Europa?

Mijn moeder probeerde me gerust te stellen, maar dat overtuigde me van geen kant. Tenslotte had zij ook nog nooit in een vliegtuig gezeten en ik zag best dat zij ook bang was. Haar gebrek aan vertrouwen bleek uit haar zenuwachtig trekkende oogleden, en dat gebeurde altijd wanneer ze nerveus was. Ik kneep stevig in haar hand en bad tot Allah om ons te beschermen en ervoor te zorgen dat we niet in zee zouden storten.

Ik was nog zenuwachtiger toen de stewardess het eten bracht. Ze zette een blad met een heleboel vreemde dingen voor ons neer. Hoewel zout en peper me bekend waren, had ik ze nog nooit zo verpakt gezien. Maar wat waren die drie andere dingen, en belangrijker nog, wat moest ik ermee? Het plastic mes was niet half zo scherp als het exemplaar dat mijn moeder bij het koken gebruikte, maar een mes had ik tenminste wel eens gezien. Maar een lepel? En een vork? Ik keek mijn moeder aan, die haar schouders ophaalde en ook geen idee had. Dus keek ik naar de andere mensen in het vliegtuig en probeerde hen met beperkt succes na te doen.

De reis duurde bijna de hele dag omdat we in Dubai moesten overstappen. Toen we eindelijk in Wenen landden, was het twaalf uur 's middags. Als ik een welkomscomité had verwacht, was ik teleurgesteld geweest, hoewel er in de aankomsthal een heleboel mensen naar onze vreemde kleren staarden, eerder geamuseerd dan iets anders. Uiteindelijk kwam er een man op ons af die mijn vader omhelsde. Het was Ahmed, een Pakistaanse vriend die ook in het Mühlviertel woonde en ons met zijn auto kwam afhalen.

Op de snelweg zat ik bijna de hele tocht met mijn neus tegen het raampje gedrukt. Ik probeerde zo veel mogelijk indrukken op te doen en stelde verbaasd vast dat alles er echt heel anders uitzag dan in Pakistan: de huizen, de auto's en zelfs de wegen.

'De mensen hier hebben gewoon een ander systeem,' zei mijn vader toen ik vroeg waarom alles hier zo veel schoner was dan thuis. Er lagen zelfs geen bananenschillen op straat. Maar hij kon niet precies zeggen wat dit systeem dan zo anders maakte.

Ongeveer twee uur later arriveerden we uiteindelijk in Sarleinsbach. We reden het dorp door, sloegen links af van de hoofdstraat en reden vervolgens langzaam een landweggetje op.

'Dat is ons nieuwe huis,' zei mijn vader. Ik kon mijn ogen niet geloven.

Alles was zo groen. Voor het eerst zag ik bossen en bergen en bomen met puntige naalden. Halverwege een helling stond het mooiste huis dat ik ooit had gezien: een kolossale, imposante boerderij van witte baksteen met zwarte dakspanen. Het was geen nieuwe boerderij, maar dat was nou juist het mooie. Het huis had een grote voortuin met een enorme appelboom. Het was geweldig.

Mijn vader en zijn vriend waren nog bezig met uitladen toen mijn broers en ik al naar binnen holden. Er waren ontelbare kamers, waaronder een badkamer met een wc die er ook heel anders uitzag dan die thuis. En er was een keuken met een fornuis dat op hout brandde. Wat een sensatie! Pure luxe! Dus hier ga ik wonen, dacht ik. Ik was heel lang niet zo opgetogen geweest.

Anderzijds was mijn moeder veel sceptischer. Ze liep langzaam op het huis af en keek angstig om zich heen. In de keuken verloor ze compleet haar zelfbeheersing. Mijn vader woonde er al een paar maanden, maar had nooit echt iets aan koken gedaan, daarom stonden er alleen maar een paar glazen en borden en niet één pan. Mijn moeder barstte in tranen uit, maakte rechtsomkeert en rende de keuken uit. Ze had haar hele leven een huishouden bestierd. In ons huis in Pakistan was geen moderne keukenapparatuur, maar was alles heel handig georganiseerd, zodat ze alles altijd onder controle had. Hier was niets: geen bestek, geen pannen en geen vertrouwd kookgerei.

'Hoe moet ik hier in hemelsnaam koken?' snikte ze. 'Wat moet ik de godganse dag doen?'

Op dat moment zag ik de voordeur van de buren opengaan. Er kwam een vrouw naar buiten die de auto voor het huis zag staan en het pad op kwam.

'Ik ben Frieda,' zei ze.

Frieda was veel ouder dan mijn moeder. Ze had al zilvergrijze lokken in haar korte haar en was in mijn ogen heel fors en sterk. Desondanks leek ze me erg aardig. En ze droeg een broek. Ik had nog nooit een oude vrouw in een broek gezien. Ik had ook nog nooit een vrouw met kort haar gezien, jong noch oud.

Hoe dan ook, Frieda zag mijn moeder huilen en vroeg mijn vader wat eraan scheelde. Toen hij zei dat er geen pannen waren, maakte Frieda zonder een woord te zeggen rechtsomkeert, ging terug naar huis en kwam vijf minuten later terug met een aantal oude pannen die ze mijn moeder cadeau gaf.

'Op het nabuurschap,' zei Frieda en voor het eerst sinds onze aankomst in Oostenrijk verscheen er een glimlach op mijn moeders gezicht.

Maar voordat ze de pannen gebruikte, waste ze die drie

keer en sprak ze er bismillah, een islamitisch gebed over uit. Dat moest ze doen omdat Frieda geen moslim was. Tot op de dag van vandaag voert ze dat ritueel uit wanneer ze serviesgoed wast als het door een niet-moslim is gebruikt.

We waren een week voor het eind van de schoolvakantie in Sarleinsbach gearriveerd en in die tijd verkende ik de omgeving. Vlak naast ons woonde Rosi, een gepensioneerde dame die heel aardig was en vooral de eerste weken veel aandacht voor haar nieuwe buren had. Ze woonde samen met haar dochter, die een onwettig kind had. Dat kon ik maar niet uit mijn hoofd zetten.

'Maar ze is zo aardig,' zei ik tegen mijn moeder. 'Waarom maakt ze haar familie zo te schande met een kind terwijl ze niet getrouwd is?'

In Pakistan zou Rosi's dochter waarschijnlijk zijn gestenigd of met benzine overgoten en in brand gestoken zijn. Ik wist zeker dat ze iets vreselijks had gedaan en als we elkaar tegen het lijf liepen, was ik altijd extra op mijn hoede.

Bij Frieda, die ons op de eerste dag had geholpen met de pannen, voelde ik me veel veiliger. Zij was gepensioneerd en woonde in bij haar zoon en schoondochter in de hoeve onder aan onze heuvel. Haar zoon Max had een grote werkplaats, waar hij wagens voor paarden maakte. Zijn vrouw Maria werkte ook, wat ik heel merkwaardig vond. Voor mij was Frieda in die tijd een van de belangrijkste mensen. Ik was bijna elke dag bij haar op bezoek en noemde haar 'mama' omdat ik niet wist wat ik anders moest zeggen. In Pakistan mogen jonge mensen een oudere niet bij de naam aanspreken. Moest ik haar 'mevrouw' noemen? Dat leek me te onpersoonlijk. 'Tante'? Ik had al veel te veel tantes. Dus 'mama', ook bekend als Frieda, werd mijn eerste vriendin in Oostenrijk. Zij liet mijn moeder en mij het dorp zien, stelde ons voor aan andere mensen en ging zelfs boodschappen met ons doen. Zij hielp ons, stond voor ons klaar als we iets nodig hadden en leerde mij mijn eerste Duitse woordjes. Dankzij Frieda kon ik mijn eerste schooldag beginnen met *Grüss Gott* en *Auf Wiedersehen.*

De eerste dagen in Oostenrijk moesten we Frieda heel vaak te hulp roepen omdat bijna alles anders was dan thuis. De huizen bijvoorbeeld, en vooral de daken. De huizen in Pakistan hebben altijd een plat dak, waar mensen vaak zitten en zelfs slapen. Hier in het Mühlviertel waren alle huizen ongelooflijk puntig.

'Hoe kunnen mensen daarop slapen?' vroeg ik Frieda in mijn gebroken Duits. Ze antwoordde dat niemand op het dak sliep omdat iedereen een slaapkamer in huis had.

Dan de wc's. Ik had die opzienbarende uitvinding al de eerste dag in het Mühlviertel leren kennen, maar die kennismaking was niet zo goed verlopen omdat de Europese wc's heel anders waren dan de Pakistaanse. De eerste keer klom ik erop om op de bril te hurken omdat ik alleen de Pakistaanse gaten in de aarde kende. Toen ik vervolgens om me heen keek, zoekend naar de kan met water om de hand te wassen waarmee ik mezelf naar Pakistaans gebruik had schoongeveegd, moest ik mijn moeder te hulp roepen. Er stond namelijk geen kan. Ze kwam naar binnen en moest lachen, maar dat duurde maar even, omdat zij ook geen kan met water kon vinden. We riepen mijn vader erbij, die voor de gesloten deur met luide stem uitlegde waarvoor die rare rol papier naast de wc diende.

We drukten op de knop en het water stortte de pot in.

Mijn moeder en ik slaakten een verraste kreet, terwijl mijn vader buiten stond te lachen. Natuurlijk kwam hij niet naar binnen om te helpen, omdat ik geen kleren aanhad en een Pakistaanse man zijn dochter niet bloot mag zien, ook al is ze pas tien.

Een week na aankomst in Sarleinsbach begon de school. Op mijn tiende had ik volgens Oostenrijkse begrippen al op de middelbare school moeten zitten, maar ik werd in groep zes van de basisschool geplaatst, zodat ik me geen zorgen hoefde te maken over wiskunde en spelling en me uitsluitend op het leren van de nieuwe taal kon richten.

De eerste dag bracht mijn moeder me naar school. Weer droeg ik de gele salwar kameez, die ik tijdens de reis naar Oostenrijk had gedragen. Toen we even voor acht uur de klas in liepen, waren alle andere kinderen er al. Het was een grote klas in een oud schoolgebouw met tafeltjes, stoelen en een schoolbord. Op mijn lagere school in Pakistan hadden we dat allemaal niet.

Toen mijn moeder en ik de klas in kwamen, verwelkomde de onderwijzer ons met een warme glimlach en gaf hij ons een hand. Natuurlijk hadden mijn moeder en ik geen idee wat hij zei. Hij gebaarde dat ik binnen moest komen. Daarna nam hij me bij de hand en ging hij de klas rond met me. Ik voelde me raar, als een olifant in de dierentuin. De andere kinderen keken me met grote ogen aan, wat natuurlijk niet verwonderlijk was: zoals ik nog nooit een volle klas met fatsoenlijke tafeltjes en stoeltjes had gezien, hadden zij nog nooit een Pakistaans meisje met een donkere huid, zwart haar en een golvende, gele salwar kameez gezien.

Ik kneep in de hand van de onderwijzer toen hij me rondleidde en vervolgens naar mijn plaats bracht. Ik zat naast een jongen. Dat was merkwaardig. Niet alleen kregen jongens en meisjes les in dezelfde klas, maar op de banken zaten ze zelfs naast elkaar. In Pakistan zou dat ondenkbaar zijn geweest. Ik keek mijn moeder vragend aan en ging pas zitten toen ze naar me knikte.

De eerste schooldagen waren heel moeilijk, omdat ik geen woord verstond van wat er werd gezegd. Maar dankzij de onderwijzer en vooral ook Frieda, vorderde ik snel en algauw vond ik school fantastisch. Ik leerde vlug en al na een paar weken werd duidelijk dat ik beter was in rekenen dan de Oostenrijkse kinderen en met gym was ik sneller met paalklimmen. Eigenlijk was dat niets bijzonders, want in Pakistan klom ik hele middagen in de bomen in de tuin.

Langzaam maar zeker gingen de andere kinderen me vertrouwen. In de pauze kwamen ze om me heen staan om eindeloos vragen op me af te vuren, terwijl ze niet beseften dat ik amper Duits sprak. Ze praatten heel vlug, zodat ik meestal maar de helft verstond van wat ze zeiden. Toch kon ik op mijn manier met ze communiceren. Ze wilden weten waar ik vandaan kwam, hoe Pakistan was, hoe de scholen er waren, of we daar een huis hadden, of een auto, of een tractor. En ik deed mijn uiterste best om hun over mijn vroegere leven en de school in Pakistan te vertellen.

Vooral de jongens stelden vragen over auto's en tractors en luisterden geduldig naar mijn trage, haperende antwoorden. De meisjes waren veel makkelijker te verstaan, omdat we minder woorden nodig hadden. Ze waren totaal in de ban van mijn haar, dat tot mijn middel viel. Ze vroegen keer op keer of ze het mochten aanraken. Ze geloofden blijkbaar niet dat het echt was. Als ik hen mijn haar liet voelen, keken ze me giechelend aan, wat ik altijd leuk vond. Minder leuk was het wanneer ze vroegen waarom ik me zo raar kleedde. Ik droeg zoals gewoonlijk mijn salwar kameez naar school, en wanneer ik zei dat ik niets anders had om aan te trekken, keken ze me vol medelijden aan.

Toen ik dat aan mijn moeder vertelde, besloot ze westerse kleren voor me te kopen. Nog diezelfde dag gingen we met mijn vader met de auto naar C&A, een populaire kledingketen, in Linz. Ik was nog nooit in zo'n winkel geweest. Waar ik ook keek hing fantastische kleding: spijkerbroeken, T-shirts, truien, jacks in allerlei kleuren. Uit de luidsprekers klonk harde popmuziek en het winkelpersoneel, dat zelf stijlvolle topjes en broeken droeg, hielp me kleren passen die mijn hart sneller deden kloppen. Op die dag kreeg ik mijn eerste spijkerbroek en een sweatshirt. Nu zag ik eruit als de andere meisjes uit Engeland wanneer ze in de vakantie naar Pakistan kwamen.

Buiten schooltijd had ik gedurende de eerste weken nauwelijks contact met de Oostenrijkse kinderen, omdat onze familie erg op zichzelf bleef in onze boerderij. Ik stond vroeg op, samen met mijn ouders. Wanneer mijn vader naar zijn werk reed, maakte ik me klaar om met mijn moeder naar school te gaan. Na de les ging ik meteen naar huis om te eten en daarna speelde ik met mijn broers in de tuin tot het donker werd. We speelden tikkertje en voetbalden, zaten de geit van de buren achterna en leerden meer over Oostenrijkse gewoonten. Zoals toen ik het schrikdraad om de akker van de buren aanraakte, maar dat gebeurde maar één keer...

We hadden veel plezier, renden om het hardst rond en klommen in de bomen. Met andere woorden, bijna net zoals in Pakistan, maar met één groot verschil: het was veel en veel kouder.

Ik verheugde me op de sneeuw en had me al afgevraagd hoe die zomaar uit de lucht kon vallen. Voor de emigratie naar Oostenrijk had ik alleen maar foto's en films van sneeuwlandschappen gezien en daarop leek de sneeuw altijd zo stevig en glad. Destijds nam ik aan dat het in vellen uit de hemel neerdaalde en was ik bang dat ik 's winters een helm moest dragen om niet gewond te raken. Toen het steeds kouder begon te worden, werd ik ook steeds ongeruster. Op een ochtend waren de velden opeens wit. Dat moest sneeuw zijn. Ik stormde naar school. Toen de onderwijzer wilde weten wat eraan scheelde, vroeg ik hem buiten adem of hij de sneeuw had gezien. Lachend legde hij tot mijn verbazing uit dat dit slechts rijp was. Toen het eindelijk ging sneeuwen, was ik verrukt. Er vielen geen vellen uit de lucht, zoals ik had gevreesd, maar lichte, dikke vlokken. Ik holde met mijn broers naar buiten en ging pas naar binnen toen ik tot op de huid doorweekt was.

De eerste winter in Oostenrijk was prachtig. Ik voerde lange sneeuwbalgevechten met mijn broers, we maakten sneeuwpoppen en van Frieda kregen we zelfs een slee. Op school ging het ook beter: mijn Duits werd vloeiender en langzamerhand kreeg ik vriendinnen in het dorp. Na school was ik meestal buitenshuis, ging ik op bezoek bij Frieda of speelde in haar tuin. Aan het eind van dat schooljaar stond ik zelfs in de krant. Op elke school in dat deel van Oostenrijk doen de kinderen een 'verkeersexamen' waarbij de onderwijzer en een politieagent van het plaatselijke bureau kijken hoe de kinderen fietsen en daarna worden ze overhoord over de verkeersregels. Vanaf de leeftijd van tien jaar mogen kinderen die voor dat examen slagen zonder begeleiding van hun ouders fietsen. In het algemeen was dat examen een fluitje van een cent en iedereen in de klas slaagde met vlag en wimpel. Maar in mijn geval was het een berichtje in de *Kronen Zeitung* waard. MEISJE UIT PAKISTAN SLAAGT VOOR VERKEERSDIPLOMA lazen we op de streekpagina. Ik was net zo trots als mijn ouders.

Na een jaar begon ik aan de middelbare school. Met de taal had ik geen enkele moeite meer. Ik kon zelfs net zo goed lezen en schrijven als mijn klasgenoten en mijn dialect was bijna net zo sterk als het hunne. Als iemand met zijn ogen dicht naar me zou luisteren, kon hij me zo voor een kind uit het Mühlviertel verslijten. Ik kon goed leren, sterker nog, uitstekend zelfs. Ik hoorde bij de besten in wiskunde en sport en onder de Engelse les verveelde ik me zelfs omdat ik, in tegenstelling tot mijn klasgenoten, al zes jaar Engels had gehad in Pakistan. Omdat ik van zingen hield, was ik vooral dol op muziekles.

In die tijd had ik twee boezemvriendinnen, Anita en Katrin. Anita was een groot meisje met lang blond haar; Katrin was iets kleiner en had bruin haar. Ze woonden allebei dichtbij. Ze waren klasgenoten, en al waren ze een jaar jonger dan ik, we konden echt goed met elkaar opschieten. Net als ik was Katrin een fan van de Europees-Amerikaanse popgroep The Kelly Family, en ze had er zelfs posters van. Ik was razend jaloers omdat mijn moeder me nooit een poster zou laten ophangen, al was ik smoorverliefd op Angelo en Paddy. Mijn moeder zei altijd dat ik geen jongens mocht bewonderen omdat ik een meisje was, anders zou ik naar de hel gaan. Dat maakte grote indruk.

Anita's ouders hadden een kolossaal huis en na school gingen we daar bijna elke dag naartoe. Anita had haar eigen kamer, waar we speelden en soms ons huiswerk deden. Anita en Katrin kwamen zelden bij ons langs omdat mijn moeder het niet prettig vond om Oostenrijks bezoek te hebben. Als de meisjes een keer bij ons kwamen, sloop ze rond en hield ze ons fronsend in de gaten omdat ze geen woord Duits sprak en onze gesprekken niet kon volgen. Als ik Anita en Katrin iets te drinken aanbood, waste ze de glazen drie keer af en sprak ze er bismillah over uit, wat ik heel vreemd vond, omdat ik mijn vriendinnen in tegenstelling tot mijn moeder in geen enkel opzicht onrein vond. Die voortdurende complicaties zorgden er uiteindelijk voor dat ik geen vriendinnetjes meer mee naar huis nam. Dat leek mijn moeder heel prettig te vinden en volgens mij waren Anita en Katrin stiekem ook opgelucht. We spraken er niet over, maar ik ben ervan overtuigd dat ze mijn moeder heel raar vonden en blij waren dat ze haar argwanende blikken niet meer hoefden te verduren. Als ik thuis was bracht ik dus het merendeel van de tijd met mijn broers en zusje door. Omdat ik de oudste was, vonden mijn ouders dat ik verantwoordelijk was voor hen.

Toen mijn ouders op een keer weg waren om boodschappen te doen, ontdekten we een spierwitte geit op de akker van de buren. Voor de grap bond ik onze voordeursleutel aan zijn halsband. Prompt raakte de geit in paniek en hij ging ervandoor. Met z'n vieren renden we het beest achterna, zonder veel kans om hem te vangen. Hij was domweg sneller. We hadden de grootste lol tot de buurvrouw verscheen. Toen die vier Pakistaanse kinderen jacht zag maken op haar favoriete geit, holde ze ons woedend schreeuwend achterna zodat we zo snel mogelijk maakten dat we thuiskwamen.

Mijn moeder vond het niet erg prettig dat we met Oostenrijkers omgingen. Al woonden we inmiddels ruim een jaar in Oostenrijk, ze weigerde nog altijd zich de taal van 'die mensen' eigen te maken. Zelfs wanneer ze boodschappen ging doen moest een van mijn broers, mijn vader of ik mee om te vertalen. Als Oostenrijkers vriendelijk tegen haar waren, was zij ook vriendelijk, maar als ze buiten gehoorsafstand waren, zei ze botweg dat 'die mensen' onrein waren omdat ze varkensvlees aten en alcohol dronken.

Een merkwaardige situatie. Terwijl mijn broers, mijn zus en ik steeds meer verwesterden, bleef mijn moeder leven alsof we nog in Pakistan woonden, of erger zelfs. Hoe meer wij ingeburgerd raakten, hoe Pakistaanser zij werd. Ze sneed zich van de rest van de wereld af, had amper contact met de plaatselijke bevolking, las niets, keek geen tv en luisterde niet naar de radio. Mijn moeder beperkte zich met koken en schoonmaken tot haar rol van huisvrouw. Dat was haar leven en meer verlangde ze niet.

Dat veranderde alleen wanneer we bezoek kregen. Pakistaans bezoek welteverstaan. Op ons na was er maar één andere Pakistaan in Sarleinsbach, Ahmed, de man die ons van het vliegveld had afgehaald en voor dezelfde aannemer werkte als mijn vader. De twee hadden elkaar op een bouwlocatie in Duitsland leren kennen en toen Ahmed naar Oostenrijk verhuisde, regelde hij daar ook een baantje voor mijn vader. Hij had vrouw noch gezin, wat hij niet erg leek te vinden, want hij had ons. Hij at bijna elke dag met ons mee en in de loop der jaren werd hij een onlosmakelijk deel van ons gezin. Soms kwam hij zelfs wanneer mijn ouders weg waren en dan ging hij in hun slaapkamer films zitten kijken omdat de tv daar stond. Bij die gelegenheden bracht ik hem altijd een glas *chai* (losse theeblaadjes gekookt met water en melk) of bood ik hem iets te eten aan. Maar ik voelde me altijd een beetje ongemakkelijk. Ik had altijd het gevoel dat Ahmed mij zat op te nemen. Soms maakte hij me zelfs een complimentje. Dat vond ik hoogst onaangenaam, dus ging ik bijna altijd naar buiten zodra hij op de bank zat.

Behalve met Ahmed had mijn familie contact met twee Pakistaanse gezinnen die in Linz woonden en vaak op bezoek kwamen. Bij die gelegenheden bloeide mijn moeder op. Ze zette grote hoeveelheden chai, bakte chapati's (plat Pakistaans brood) en bereidde diverse curryschotels. Dan was ze weer net zo gelukkig als vroeger.

Aan de andere kant werd ik almaar zelfstandiger en bracht ik steeds meer tijd door bij Anita en Katrin. Na schooltijd kwamen we bij elkaar om te babbelen en naar muziek te luisteren. Destijds had Katrin de beste verzameling cd's van ons drieën, en natuurlijk alle muziek van The Kelly Family.

Hoe ouder ik werd, hoe meer ik de belangstelling verloor voor wat er in Pakistan gebeurde. Toen we net in Oostenrijk waren, schreef ik bijna elke week naar mijn nichtjes en vroegere schoolvriendinnen, maar gaandeweg verwaterde dat. Dhedar, Dhunni en alles wat met die plaatsen te maken had, werden steeds minder belangrijk. Wanneer een van mijn nichtjes of grootvader me aan de telefoon wilde spreken, stond ik meestal met mijn mond vol tanden. Maar gelukkig belden we niet vaak met elkaar. Doorgaans namen we bandjes op, die we vervolgens naar Pakistan stuurden omdat bellen zo duur was.

Thuis sprak ik steeds minder Urdu, de taal van Pakistan. Tegen mijn vader en broers en zus sprak ik alleen maar

Duits. Zelfs als mijn moeder – die nog steeds geen woord van de taal sprak – iets van me wilde, deed ik geen moeite Urdu tegen haar te spreken. Binnen twee tot drie jaar was ik op-en-top Oostenrijkse geworden, al was ik nog steeds geen Oostenrijks staatsburger.

Destijds klaagden mijn ouders daar zelden over. Hoewel zij een traditioneel Pakistaans leven leidden, was er heel weinig wat ik niet mocht. Het was duidelijk dat ze me vertrouwden. Het enige wat me een beetje dwarszat, was dat ik nooit een nachtje bij Anita of Katrin mocht logeren, maar daarmee viel wel te leven.

Ik hielp mijn moeder met het huishouden wanneer ze dat wilde. Zoals altijd ging ik boodschappen met haar doen, deed ik de afwas en hielp met de was. Ik deed wat er van me werd verwacht. Verder gaf ik mijn ouders geen reden voor bezorgdheid, want het begin van de puberteit was voor mij, in tegenstelling tot veel andere jongeren, niet zo lastig. Al droeg ik geen Pakistaanse kleren meer, de westerse die ik droeg waren niet aanstootgevend. Ik gebruikte geen make-up, en wat voor mijn ouders nog belangrijker was, net als mijn vriendinnen had ik geen belangstelling voor jongens.

Op die leeftijd vond ik mezelf niet aantrekkelijk. Ik had het Pakistaanse schoonheidsideaal van mijn moeder overgenomen, wat wilde zeggen dat ik te mager en mijn huid te donker was om mooi te zijn. Pas veel later kwam ik erachter dat het Oostenrijkse ideaal precies het tegenovergestelde was. Misschien werd ik daarom zo bewonderd dat mij werd gevraagd een zonnebankstudio in Sarleinsbach te openen. Oostenrijkers gingen in een apparaat liggen om donkerder te worden! In Pakistan zou je daar niet rijk mee worden;

daar zou je een apparaat moeten hebben dat het tegenovergestelde deed!

Maar destijds hield ik me daar niet mee bezig. Integendeel, ik was een vrome moslima.

Omdat ik was geboren in de familie van een moellah, stond het geloof in Allah centraal in mijn leven. Het allerbelangrijkste was dat ik mezelf niet als een persoon beschouwde, maar als een moslima. De islam was mijn identiteit en had mijn hele leven vormgegeven. Die bepaalde wat ik mocht eten, drinken en dragen, wie mijn vrienden en vijanden waren, en die zou mijn toekomstige man moeten regelen. Zoals de meerderheid van de soennitische moslims in Pakistan was ik een vrome volgeling van de profeet Mohammed. Op ieder vlak van mijn leven wilde ik zijn zoals hij. Wat Mohammed ruim duizend jaar geleden had gedaan, was op dat moment nog steeds relevant.

Op zijn vijftigste trouwde de Profeet met een zesjarig meisje, dus wensen talrijke soennitische families hetzelfde voor hun dochters. Tenslotte hebben bijna alle moslims hetzelfde doel: even heilig zijn als de Profeet om uiteindelijk naar de hemel te gaan, het land van melk en honing, waar geen lijden en armoede zijn, het paradijs. In Pakistan had ik al geleerd dat er maar één waarborg was om daar te komen: door je leven te verliezen in de strijd tegen de ongelovigen. Als kind moest ik de namen uit het hoofd leren van diegenen van de moedjahedien die voor Allah waren gestorven, die heidenen hadden gedood en talrijke 'onreine levens' van de Kuffar hadden beëindigd. 'Als iemand zijn leven geeft voor Allah, gaan hij en zijn familie rechtstreeks naar de hemel,' had ik ooit een vrouw in Pakistan horen zeggen. De martelaren van de islam werden als popsterren behandeld en hun familieleden stonden in hoog aanzien.

Toen ik amper een tiener was, vroeg ik me in Sarleinsbach af of Allah mij de moed zou geven mijn leven voor hem te offeren.

Ik had geen Al Qaida noch een andere terreurorganisatie nodig om me zo te laten denken. Het verlangen naar het paradijs, mijn vroegere opvoeding in Pakistan en het verlangen naar erkenning waren voldoende.

Ik weet niet wat er in mijn Oostenrijkse kinderjaren van me was geworden zonder de diepe genegenheid van mijn 'ongelovige vrienden' zoals mijn onderwijzers, klasgenoten en buren. Of hoe ik me zou hebben gedragen als ik destijds betrokken was geweest bij een terreurbeweging. Maar één ding was zeker, ik was beslist niet meer bereid mijn leven voor wie dan ook te offeren.

In plaats daarvan probeerde ik met gebed en zelfverloochening indruk op de goede Allah te maken. Ik viel bijvoorbeeld een keer tijdens sportles flauw omdat ik niets had gedronken. Mijn klasgenoot Tintin stond direct klaar om me haar fles water aan te bieden. Die sloeg ik af, omdat het zou betekenen dat ik het water van een christen zou delen. Ik was ervan overtuigd dat een engel van Allah het offer had gezien en dat me ooit in het paradijs de beloning ervoor deelachtig zou worden.

Ik besefte dat Oostenrijk een land van ongelovigen was. Mijn vader herhaalde thuis vaak met kracht de woorden: 'Moet je die christenen eens zien. Hun kerken zijn leeg en hun bordelen zijn vol.'

Dat maakte me nog trotser een moslima te zijn.

Toen we later naar Linz verhuisden, ging ik zelfs naar de

plaatselijke moskee. Aan de ene kant deed ik dat om Allahs genade te verdienen, aan de andere kant wilde ik misschien alleen zijn liefde voelen. Telkens wanneer ik me als een goede moslima gedroeg, kreeg ik lof en erkenning van mijn ouders. Ze gaven me complimentjes ten overstaan van anderen, en die vleierij vond ik fantastisch. Sommige Pakistaanse gezinnen stuurden hun dochters zelfs naar mij omdat ik in hun ogen zo'n goede moslima was. In die tijd zou niemand, en zeker ik niet, hebben gedacht dat ik ooit een draai van honderdtachtig graden zou maken.

Ik had heel weinig op met het christelijke geloof. Ik wist van het bestaan af omdat mijn klasgenoten twee keer in de week godsdienstonderwijs kregen, dat ik niet volgde, en ik kende de priester in Sarleinsbach die catechisatie gaf op de basisschool. Hij kwam een paar keer naar de school en was heel aardig, zowel tegen mij als de andere kinderen, al was ik dan geen christen. Ook ging ik een keer met de klas naar de kerk in Sarleinsbach. Ik vond het een prachtig gebouw omdat het zo imposant en toch zo vreedzaam was, maar ik had nooit serieuze belangstelling voor het christendom. Ik was wel geboeid door het crucifix dat in onze klas hing. Een keer vroeg ik mijn vader wat dat ding was.

'Dat weet ik ook niet,' zei hij, en dat volstond.

Mijn familie bad vaak en ik las de Koran, waarbij ik een ongewone ijver aan de dag legde. Als jong meisje stond ik altijd op de bres voor de islam, zelfs op school. Tijdens de geschiedenis kwam de islam een keer ter sprake. De lerares, een vrouw van middelbare leeftijd met een streng kapsel, sprak voortdurend over 'Mohammed' en 'mohammedanen'. Dat maakte me woedend. Ik stond op en riep: 'Wij zijn geen mohammedanen, maar moslims. En u mag de Profeet niet zomaar bij zijn naam noemen, u moet zeggen "Mohammed, vrede zij met hem"!'

De lerares keek nogal op van mijn woedeaanval.

Bij muziekles zongen we vaak psalmen, wat ik aanvankelijk niet doorhad omdat mijn Duits nog niet zo goed was. Toen ik het later wel begreep, weigerde ik mee te zingen. De muziekleraar vroeg waarom. Toen ik zei dat een moslim niet mocht zingen dat Jezus een god was, stelde hij voor dat ik de naam Jezus gewoon moest vervangen door de naam Allah. Dat maakte me nog bozer. Hoe durfde de leraar Jezus en Allah op één lijn te stellen? Mijn enige troost was dat de leraar door zijn schandelijke voorstel gegarandeerd geroosterd zou worden in de hel.

Ik genoot van het leven in Sarleinsbach, waar maar een paar cafés waren, nog minder winkels en zeker geen disco's of bioscopen. Alleen in de zomer, wanneer de voetbalclub, de fanfare en de brandweer feesten in tenten organiseerden, was er iets te doen. Bij die gelegenheden mocht ik met mijn broers naar de kermis en ik vond het fantastisch als mijn vader een suikerspin voor me kocht. Mijn leven in Sarleinsbach was zo idyllisch dat het bijna kitscherig was, maar ik genoot er wel van. Misschien kwam dat omdat het zo weinig opzienbarend was. In mijn latere leven zou ik meer dan genoeg opwinding beleven.

2

Ik was veertien toen mijn leven opeens veranderde. Het was in het voorjaar van 1996 en ik zat net in de vierde klas van de middelbare school, toen mijn vader op een dag thuiskwam en vroeg of we met zijn allen naar de huiskamer wilden komen. Ik wist meteen dat er iets was gebeurd: mijn vader was geen liefhebber van familiebijeenkomsten. Als hij iets te melden had, deed hij dat met weinig omhaal. Opgewonden ging ik naar de huiskamer.

'Ik heb een nieuwe baan,' zei hij. 'Binnenkort zullen we moeten verhuizen. Over een paar weken wonen we in Linz.'

Ik wist niet hoe ik moest reageren. Aan de ene kant was ik blij omdat ik graag in een stad als Linz wilde wonen, want ik wilde naar het gymnasium, een betere middelbare school. Aan de andere kant vond ik het wonen in Sarleinsbach echt heerlijk. Hoewel ik niet veel vriendinnen had, was er onze buurvrouw Frieda, kende ik het dorp goed en genoot ik van mijn overzichtelijke bestaan. Mijn broers en zus voelden zich net zo. Alleen mijn moeder was onverdeeld blij; zij was in Sarleinsbach steeds eenzamer geworden. Ze schuwde nog altijd het contact met de plaatselijke bevolking en de laatste tijd waren de bezoekjes van onze Pakistaanse vrienden uit Linz steeds zeldzamer geworden. Ze hoopte dat alles in Linz vanzelf anders zou worden. Twee weken later verhuisden we al.

Mijn vader had een appartement in de Wiener Strasse gehuurd, op de zevende etage van een flat uit de jaren zestig. Het had vier kamers: een huiskamer, een slaapkamer, een slaapkamer voor mijn broers en nog een voor mijn zus en mij. Er waren ook een badkamer, een keuken en zelfs een balkon. Ik had nog nooit in een flatgebouw gewoond.

We waren halverwege het schooljaar naar Linz verhuisd, wat betekende dat ik toch naar een gewone middelbare school moest voor ik naar het gymnasium kon. Op de eerste dag had ik meteen in de gaten dat mijn klas heel anders was dan wat ik in Sarleinsbach gewend was. Een aantal klasgenoten rookte al en de meesten hadden al alcohol gedronken. In Sarleinsbach waren mijn zus en ik de enige moslims op school geweest, terwijl er in Linz alleen al in mijn klas tien moslims zaten. Maar ik was de enige Pakistaan; de anderen kwamen uit Bosnië of Turkije. We hadden zelfs ons eigen islamonderwijs, wat ik geweldig vond, in tegenstelling tot mijn klasgenoten, van wie er een paar dat uur benutten om hun huiswerk over te schrijven als voorbereiding op het volgende. Op mijn veertiende was ik heel godvruchtig. Op school en thuis bad ik veel en ik gaf me regelmatig op voor spreekbeurten. Het was heel belangrijk voor me om anderen te vertellen wat een goed en wijs mens Mohammed was.

Mijn vader werkte voor een aannemingsbedrijf en had een tweede baan als taxichauffeur. Kennelijk beschouwde hij het feit dat we in Linz woonden niet alleen als een kans om veel geld te verdienen, maar ook als een gelegenheid om voor een appeltje voor de dorst te sparen. Mijn vader droomde er nog steeds van ooit als een rijk man naar Pakistan terug te keren en een groot huis in zijn woonplaats Dhedar te bouwen. Hij maakte lange uren en was zelden thuis. Mijn broers gingen naar dezelfde middelbare school als ik, maar anders dan ik sloten ze snel nieuwe vriendschappen en brachten ze de meeste middagen door op het voetbalveld, net als in Sarleinsbach. Daarentegen ging ik na school meestal naar huis om mijn moeder te helpen en met mijn zusje te spelen, die nog op de basisschool zat en een levendig, welopgevoed kind was dat veel lachte en mij verafgoodde.

Mijn moeder gedijde het best in onze nieuwe woonomgeving. Nu we in dezelfde stad woonden als haar Pakistaanse vriendinnen, was ze veel gelukkiger dan ze in maanden in het Mühlviertel was geweest. We hadden regelmatig gasten, aan wie mijn moeder met veel liefde traditionele Pakistaanse schotels voorzette. Sinds de verhuizing naar Linz ging ze op eigen houtje naar de markt, al sprak ze nog altijd weinig Duits. Als we gasten hadden, rook het hele huis naar curry en verse bloemen. Ze was zichtbaar gelukkig met haar nieuwe sociale leven in Linz en ik was echt blij voor haar.

Terugkijkend was het allemaal misschien één grote vergissing. Als we in Sarleinsbach waren gebleven, was het contact van mijn moeder met de Pakistaanse gemeenschap waarschijnlijk blijven afnemen en zou ze uiteindelijk wel gedwongen zijn geweest open te staan voor het contact met de dorpelingen. Dan had ze zich misschien aangepast aan hun westerse leven en was ze er misschien zelfs gehecht aan geraakt. Misschien had ze haar godsdienstige vooroordelen aan de kant gezet en zou ze begrepen hebben waarom ik tegenwoordig ben wie ik ben. Maar in Linz raakte ze volledig betrokken bij de Pakistaanse gemeenschap. Op die manier kon ze zich volledig isoleren van de Oostenrijkers en bleef ze in haar Pakistaanse wereldje steken.

In september 1996 ging ik naar het gymnasium. De school specialiseerde zich in muziek, wat mij buitengewoon goed uitkwam. Ik was en ben nog steeds dol op muziek. Ik kon weliswaar geen instrument bespelen, maar ik hoopte ooit naar het conservatorium te kunnen gaan om zangeres te worden. Helaas was de zangklas vol, dus moest ik naar de gitaargroep.

Mijn klas telde vijfentwintig leerlingen, voornamelijk meisjes die, anders dan ik, gewoon door hun kleding een heel volwassen indruk maakten. De meesten droegen een strak T-shirt op een broek die hun figuur benadrukte. Ze waren stijlvol geknipt, sommigen rookten en anderen hadden zelfs al een vriendje. In de pauze vertelden ze me wel eens over feesten die ze in het weekeinde hadden bijgewoond, over cafés die ze hadden bezocht, concerten waar ze naartoe wilden en jongens die ze hadden leren kennen. En ik stond te luisteren alsof ik van een andere planeet kwam. Ik kleedde me nog steeds zoals in Sarleinsbach en had van al die dingen geen kaas gegeten. Voor een meisje van vijftien uit de stad was ik maar een onnozele boerenmeid.

Ik was niet eens een gewone boerenmeid, want afgezien van mijn recente verleden in Sarleinsbach hechtte ik nog altijd zeer aan Pakistaanse gewoonten. Ik was een vrome moslima, bad vaak en las regelmatig met mijn familie in de Koran. Om die reden was er van de meeste dingen waarvoor mijn klasgenoten belangstelling hadden voor mij geen sprake: ik droeg geen strakke kleren, want ik wilde mijn figuur niet laten zien, ik had geen zelfvertrouwen en vond mezelf niet aantrekkelijk. Ik gebruikte geen make-up en had geen modern kapsel. In plaats daarvan droeg ik mijn lange zwarte haar meestal in een paardenstaart. Ik wilde niet roken omdat ik dat ongepast vond voor een Pakistaanse. Ik wilde niet drinken omdat alcohol voor moslims verboden is. En ik had geen belangstelling voor jongens. Wat moest ik met een jongen? De jongens van mijn leeftijd wilden maar één ding: hun eerste seksuele ervaring, wat dat ook mocht betekenen, en wel zo snel mogelijk. Daar wilde ik niets van weten. Destijds was ik categorisch tegen seks voor het huwelijk, voor mij het toppunt van zedeloosheid. Maar als ik dat tegen de meisjes in mijn klas zei, lachten ze me vierkant uit. Ik ging nooit naar feesten, kende geen enkel café in de stad en ging nooit naar een popconcert, omdat mijn ouders dat niet goed vonden. Ik durfde nog geen vraagtekens te zetten bij de regels van mijn ouders. Het zou nog een paar maanden duren voor ik dat stadium bereikte. Tot die tijd moest ik talrijke beledigingen incasseren.

Ik was een vreemde eend in de bijt en heel eenzaam. Het was een buitengewoon moeilijke periode van mijn leven, omdat ik er heilig van overtuigd was dat ik gelijk had en mijn klasgenoten ongelijk. Dus waarom zou ík veranderen?

Maar er was niemand met wie ik over dergelijke vragen kon praten, vragen waarover ik me dagelijks het hoofd brak. Met wie kón ik praten? Mijn zusje Aisha was pas tien en haar interesses gingen natuurlijk niet verder dan haar poppenhuis. En mijn moeder was daarvoor natuurlijk helemaal de verkeerde persoon. Die hoefde ik niet te vragen wat zij van de meisjes in mijn klas vond. In haar ogen waren dat verwende nesten zonder enig normbesef of eergevoel. In haar ogen kleedden die zich als hoeren en dachten ze net zo. Ze waren onrein en zouden branden in de hel. Althans dat zei ze altijd over de meisjes die ze in de tram zag en die op mijn klasgenoten leken. In ons leven waren er geen andere vrouwen dan mijn zusje, mijn moeder en haar vriendinnen. En al die vrouwen waren Pakistaans, ze dachten, leefden en voelden precies hetzelfde als mijn moeder.

Ik dacht steeds meer over mijn situatie na en langzaam maar zeker begon ik me af te vragen wat er nou echt zo verkeerd was aan de manier waarop mijn medeleerlingen leefden. Ze kleedden zich modieuzer, maar dat was amper een misdaad. Ze gingen naar de bioscoop en kenden de nieuwste Hollywood-films. Tien jaar geleden speelde de Amerikaanse kijk op moslims als 'de vijand' nog niet zo'n prominente rol, dus was me nog niet bijgebracht om Hollywood te beschouwen als het vleesgeworden kwaad. De meisjes op school gebruikten make-up, maar dat kon ook niet echt een probleem zijn omdat Pakistaanse vrouwen ook een schoonheidsspecialiste bezoeken voor ze naar een feest gaan. Ik was heel jaloers op medeleerlingen die nieuwe cd's mochten kopen. Ik hield ook van de popmuziek van de jaren negentig, maar mocht geen cd's kopen, omdat mijn ouders daar een stokje voor staken. Maar ik begreep hun beweegredenen niet.

Langzaam maar zeker ging ik mijn moeder in een ander licht zien. In Pakistan was zij mijn onbetwiste rolmodel geweest. In Sarleinsbach vond ik haar een beetje raar omdat ze de Oostenrijkers zo consequent uit de weg ging. Toch aanvaardde ik haar veroordeling tot levenslang als huisvrouw als de enige keus voor een vrouw. Daar had ik nog nooit één vraagteken bij gezet.

Maar hoe langer ik in Linz woonde, hoe minder zeker ik

van mijn zaak was. Wilde ik echt zo leven als zij? Ja, ooit wilde ik wel trouwen en kinderen krijgen, maar toch verlangde ik meer van het leven. Als klein meisje droomde ik er al van om dokter te worden, maar nu zou ik liever zangeres, musicus of actrice worden. Ik wilde beroemd zijn. Dat is niet zo vreemd voor een veertienjarige Oostenrijkse, maar het was duidelijk dat dit verlangen niet strookte met de rol van een Pakistaanse vrouw. Althans niet met de versie die mijn moeder voor ogen had.

In die tijd werd ik verscheurd. Aan de ene kant zag ik ons gezin met zijn normen en waarden en aan de andere kant ging het leven om me heen gewoon door. Ik zag geen uitweg.

Ik begon aan een dagboek en naarmate de maanden verstreken, wijdde ik daar steeds meer tijd aan. Ik werd geobsedeerd door mijn rol van buitenstaander. Waarom mogen de andere meisjes mij niet? Moet ik net zo worden als zij? Wat is goed en wat is kwaad? Waar hoor ik bij?

Meer dan eens betrapte ik me erop dat ik Allah met mijn problemen lastigviel.

'Allah, maak alstublieft dat Sarah en Marietta me aardig vinden,' bad ik. Sarah en Marietta waren de coolste meisjes van de klas; iedereen deed hen na en mij zagen ze amper staan.

Na al die maanden in Linz zonder nieuwe vriendschappen begon mijn grote eenzaamheid haar weerslag te krijgen op mijn leerprestaties. Ik had vooral slechte cijfers voor wis- en aardrijkskunde, maar had ook moeite met geschiedenis, natuurkunde en Duits. Kort na Pasen werd duidelijk dat ik dat jaar geen goed rapport zou krijgen. Mijn ouders vonden dat vreselijk. In Sarleinsbach was ik altijd een van de besten van de klas geweest en nu had ik moeite met alle vakken. Ze vroegen wat eraan scheelde, maar het lag voor de hand dat ik hun niet kon vertellen wat me zo kwelde.

Eigenlijk zat ik niet zo in over mijn lage cijfers, integendeel. Ik was blij dat ik naar een middelbare school ging waar muziek zo'n grote rol speelde, al had ik een hekel aan gitaarles. Ik wilde zingen, maar er was geen plaats voor mij in de zangklas. Daarom deed ik niets om te voorkomen dat ik zou blijven zitten. Ik zou het jaar overdoen, mijn leven veranderen zodat ik vriendinnen zou krijgen, en bovendien kon ik dan zingen. Opnieuw beginnen leek me de enige mogelijkheid.

Toen ik inderdaad bleef zitten, was dat min of meer een opluchting. En toen ik slaagde voor het toelatingsexamen voor zangles, was ik dolblij. Ik kwam in een nieuwe klas, waar niemand me kende. Ik paste me aan, veranderde mijn leven zo veel mogelijk en dacht serieus na over mijn kleren.

In Sarleinsbach kon het me niets schelen, maar nu wilde ik strakke spijkerbroeken en korte topjes. Voor mijn moeder was dat ondenkbaar, dus moest ik heimelijk op eigen houtje gaan winkelen. Ik had in de loop der jaren wat van mijn zakgeld gespaard en in mijn vrije tijd zou ik naar H&M gaan.

Er was altijd het risico te worden betrapt. Ik propte de kleren in mijn schooltas voor ik thuis naar binnen ging en smokkelde ze achter mijn moeders rug om naar mijn kamer. Gelukkig heeft ze me nooit betrapt.

Nog lastiger was het om in mijn nieuwe kleren naar school te gaan. Mijn moeder nam elke dag afscheid van me bij de voordeur, dus kon ik nooit weg in de kleren die ik op school wilde dragen. Ik kleedde me in twee lagen: eerst het topje dat ik op school wilde dragen; daaroverheen de blouse waarin ik officieel van huis ging. Op straat trok ik die uit om hem in mijn schooltas te stoppen tot ik weer naar huis ging. Dan trok ik hem over mijn hoofd aan.

Ik weet niet of er een moment in je leven komt waarop je van de ene naar de andere cultuur verhuist. Terugkijkend is mijn transformatie niet aan een specifieke gebeurtenis gekoppeld, laat staan aan een specifieke datum. Er waren niet eens specifieke ouderlijke verboden, of dingen die mijn vriendinnen wel en ik niet mochten die mijn verandering teweegbrachten. Ik herinner me alleen maar het gevoel: een gevoel dat me zei dat ik niet zo wilde zijn als mijn moeder, maar zoals mijn vriendinnen. Het was een heel vaag idee waaraan ik me in die tijd vastklampte. Het had iets met verbod en rebellie te maken en dat komt me nu heel kinderlijk voor. Het had te maken met het verlangen spijkerbroeken en T-shirts die ik mooi vond te dragen. In die tijd dacht ik niet echt na over de drijfveren om mezelf te veranderen, maar zag ik het eenvoudig als een manier om mijn tweestrijd op te lossen. Tegenwoordig besef ik dat er waarschijnlijk geen andere oplossing was. In die periode was ik inmiddels vijf jaar in Oostenrijk en was ik, in tegenstelling tot mijn moeder, verzot op het leven in dat land. De school en het contact met mijn klasgenoten hadden hun stempel op me gedrukt en onbewust verwesterde ik gaandeweg steeds meer.

Er verstreken een aantal maanden en mijn kleine maskerade bleef onopgemerkt. Wanneer ik op de tram stapte, was ik net zo gekleed als de andere meisjes en tegen de tijd dat ik op school kwam, had ik al lipstick en eyeliner aangebracht. In tegenstelling tot het eerste jaar had ik geen enkel probleem meer met mijn klasgenoten. In de pauze hoorde ik bij de groepjes die klaagden over de leraren, kletsten over de jongens in de klas en luisterde ik opgewonden wanneer ze vertelden hoe ze hun weekeinde hadden doorgebracht. Al had ik weinig bij te dragen aan hun verhalen over zoenen, vozen en de beroemde 'eerste keer' – wat niemand trouwens in de gaten had – ik was gelukkig en had het gevoel dat ik er eindelijk bij hoorde. En opeens gingen mijn cijfers ook weer vooruit.

Ik leidde een echt dubbelleven: thuis bleef ik de brave Sabatina die keurig bad, zich fatsoenlijk kleedde en ongevraagd haar moeder hielp in de huishouding. Het was maar goed dat mijn moeder geen gedachten kon lezen, noch het dagboek waarin ik die gedachten opschreef en dat ik zo goed verstopte dat ze het nooit zou vinden.

Maar langzaam maar zeker kreeg ook zij de verandering in de gaten. Eerst waren het maar kleine dingen: de rode sporen op de papieren zakdoekjes als ik op weg naar huis mijn lipstick had afgeveegd, of de blouses die ze met zo veel zorg had gestreken en die opeens gekreukt in de wasmand lagen; geen wonder, ze hadden de hele dag op een prop in mijn schooltas gezeten. Een paar keer nam ze me onder handen, maar ik omzeilde haar vragen en soms loog ik alsof het gedrukt stond.

Het was maar een heel klein stukje vrijheid dat ik met die trucjes verwierf, maar het was precies die vrijheid die zo enorm belangrijk voor me was. Ik vond het heerlijk om weer vriendinnen te hebben: vriendinnen als Sophie, Barbara en Anita, die in mijn klas zaten en me behandelden alsof ik een van hen was. In het weekeinde kon ik weliswaar niet met hen naar de bioscoop of de disco, maar in de pauze hoorde ik er wel bij, en soms ging ik zelfs met ze mee naar een café in de Linzer Landstrasse. Die tijd stal ik door te zeggen dat ik extra les had, of ik ging niet spoorslags naar huis als er een les was uitgevallen en we eerder naar huis konden.

Langzaam maar zeker begon de sfeer thuis te veranderen. Mijn moeder werd steeds argwanender. Ze ging me bespioneren en keek door het keukenraam om te zien wat ik aanhad wanneer ik uit de tram stapte. Als ze zag dat ik niet fatsoenlijk gekleed was, kreeg ik er fiks van langs.

In Sarleinsbach had het haar nooit iets kunnen schelen hoe ik mijn middagen doorbracht. Daar mocht ik wat haar betrof de hele middag door tuinen en velden ravotten. Maar hoe ouder ik werd, hoe strenger en wantrouwiger ze werd. Mijn moeder moet hebben gevoeld dat ik me los begon te maken van haar en mijn vader, en dat ik het leven in Europa minder sinister vond dan zij. Afgezien daarvan – en dat was de voornaamste reden van haar bezorgdheid – was ik ongesteld geworden. In Pakistan wilde dat zeggen dat ik een volwassen vrouw was geworden, met alle gevolgen van dien.

Daarvóór behandelden ze mij als kind en gaven ze me wat ruimte, maar nu was ik in hun ogen een vrouw die volgens strenge Pakistaanse regels moest leven. Dat betekende dat ik een salwar kameez moest dragen, mijn hoofd in het openbaar moest bedekken, moest proberen de openbaarheid te mijden door vrijwel al mijn vrije tijd binnenshuis door te brengen en alleen maar iets mocht zeggen wanneer me iets werd gevraagd.

Mijn moeder hield me dat keer op keer voor. Telkens wanneer ik me ongepast gedroeg, met andere woorden 'on-Pakistaans', kreeg ik op mijn kop. In haar ogen gedroeg ik me vaak ongepast, niet om haar dwars te zitten, maar uit overtuiging. Ik had heel lang mijn best gedaan om door mijn klasgenoten te worden geaccepteerd. Nu het eindelijk zover was, wilde ik die acceptatie niet op het spel zetten. En hoe langer ik in Oostenrijk woonde, en met name in Linz, hoe duidelijker ik me mijn toekomst voorstelde: ik wilde hier blijven wonen zoals ieder ander.

Maar mijn moeder hield er totaal andere ideeën op na. Ze drong er steeds op aan dat ik me niet zo moest laten beïnvloeden door Oostenrijk, waar alleen maar 'vreemdelingen' en 'ongelovigen' woonden. Mijn ouders gingen constant tekeer over Oostenrijkse vrouwen. Voor mijn moeder was een doodgewoon modetijdschrift soms al voldoende om uit te barsten in een tirade. Ze waarschuwde me voortdurend voor Oostenrijkers die vrouw en kinderen mishandelden en geen godvrezend bestaan leidden. Als ik haar tegensprak, kreeg ik ervan langs.

Ze zei dat ons echte leven in Pakistan was. In wezen was ik alles wat met Pakistan te maken had vergeten. Tenslotte woonden we al meer dan vijf jaar in Oostenrijk, en afgezien van een paar brieven en korte telefoongesprekken had ik niets meer met Dhedar en ons vroegere leven. Toch bleef ik in de ogen van mijn ouders een Pakistaans meisje en dat onderwerp was verder onbespreekbaar. Hetzelfde gold voor de opvatting dat ik op een zeker moment in mijn leven naar Pakistan zou teruggaan. Ik wist dat mijn vader elke maand geld naar huis overmaakte voor mijn grootvader. Afgezien daarvan droomde hij van zijn eigen huis waarmee hij zijn familie kon bewijzen dat hij in Europa iets had bereikt.

Dat was precies wat ik niet wilde. Ik wilde nooit meer terug naar Pakistan. Mijn leven was in Oostenrijk en zo wilde ik het graag houden. Maar natuurlijk zei ik dat niet tegen mijn moeder. Wat zou dat trouwens voor zin hebben? Ze zou me nooit begrijpen en het zou alleen maar tot nog meer spanning hebben geleid. Dus reageerde ik net als de meeste tieners op haar standjes: ik liet haar maar praten. Laat haar maar klagen, dacht ik. Morgen ga ik weer naar school en leef ik zoals ik dat wil.

Misschien was het omdat ik tot een andere generatie behoorde of omdat ik in Oostenrijk was opgegroeid, maar hoe dan ook, het was duidelijk dat ik heel anders wilde zijn dan mijn moeder. Ik wilde niet dat mijn leven tot keuken en kinderen beperkt zou blijven. Ik wilde een baan om mijn eigen geld te verdienen en ooit trouwen met een man van mijn keuze.

Terugkijkend zie ik wel in dat alle jonge mensen een soortgelijke fase doormaken, maar voor mij kwam daar nog bij dat ik in de puberteit ook mijn Pakistaanse wortels had losgelaten. Destijds besefte ik dat niet en was ik nooit van plan voor principes te vechten. Ik wilde alleen maar bewegingsvrijheid en de mogelijkheid om met mijn vriendinnen om te gaan, dingen waarmee naar mijn gevoel niets mis was.

Ook mijn vader legde me regelmatig nieuwe regels op. 'Je bent een Pakistaanse vrouw,' zei hij altijd, en dat betekende talrijke strenge verboden. Na school moest ik direct thuiskomen. Ik mocht niet eens zeggen dat ik naar een feest wilde. En wanneer mijn vriendinnen 's zomers bij elkaar kwamen om te gaan zwemmen, mocht ik niet mee.

Mijn vaders voorschrift dat ik nog geen centimeter blote huid mocht tonen, leverde op school problemen op. Mijn vader wilde met alle geweld dat ik een lange broek aantrok tijdens zwemles. Toen ik dat tegen de lerares zei, moest ze alleen maar lachen. Maar toen ik echt in een joggingbroek op zwemles verscheen, verdween haar glimlach. Ze belde mijn vader en dreigde dat ik van zwemles zou worden gestuurd.

‘Sabatina heeft een badpak nodig. Als ze geen goede zwemkleding heeft, kan ik haar geen cijfer geven.’

Nu zag mijn vader zich voor een dilemma gesteld, omdat hij wilde dat ik hoge cijfers haalde. Dus liet hij me met tegenzin met mijn moeder een badpak kopen. Vanuit modieus oogpunt was het badpak een verschrikking; het geval zag er op zijn zachtst gezegd uit als een negentiende-eeuws relikwie en zo voelde ik me er ook in. Er was geen sprake van dat ik daarmee naar de kleedkamer zou gaan.

Ik was woest op mijn moeder en nog bozer op mijn vader. Wat voor leven wilden ze mij opdringen? Soms wilde ik dolgraag van huis weglopen, maar ik was me er altijd van bewust dat ik nergens naartoe kon.

Ik bleef verstoppertje spelen. Thuis speelde ik het devote Pakistaanse meisje, maar zodra ik buiten was, was ik in niets te onderscheiden van andere tieners. Ik bedroog mijn ouders steeds vaker. Ik verzon zo veel middaglessen, sportlessen en buitenschools onderwijs dat mijn agenda weinig van een achturige werkdag verschilde. De tijd die ik daarmee won bracht ik met mijn vriendinnen door in cafés en muziekwinkels, waar ik vaak urenlang naar de nieuwste cd’s luisterde, zonder ze natuurlijk te kunnen kopen, omdat ik van mijn moeder niet naar westerse muziek mocht luisteren.

Dat voortdurende heen en weer schakelen was heel vervelend en vreselijk vermoeiend. Maar wat was het alternatief? Mijn moeder controleerde alles. Soms pakte ze me zelfs mijn schooltas af wanneer ik thuiskwam. Een keer vond ze daarin een exemplaar van het tijdschrift *Bravo* en was ze buiten zichzelf van woede.

De verbodsbepalingen werden nog strenger en absurder. Ze besloegen alle onderdelen van mijn leven, zelfs het schooltoneel. Ik hield van het theater en had me ingeschreven voor de toneellessen van school. Mijn leraar zei dat ik aanleg had en ik legde me hartstochtelijk toe op mijn nieuwe liefhebberij. We repeteerden eens in de week en met elke repetitie nam mijn enthousiasme toe. Tot mijn vader erachter kwam. In zijn ogen was toneel iets voor 'hoeren' en 'ongelovige vrouwen'. Met andere woorden, niets voor mij. Ik kreeg op mijn duvel en hij verbood me verder nog deel te nemen aan de repetities. Hij vond me 'on-Pakistaans' en een 'schande voor de familie'. Dus bleef ik stiekem repeteren.

Dat ging een paar maanden goed, tot vlak voor de eerste voorstelling. Dagen voor het optreden was ik al zenuwachtig. Voor de hele school zouden we een stuk van onze leraar, *Kapitein Daddeldu*, spelen. Ik had een van de hoofdrollen, ironisch genoeg die van een weggelopen meisje. Op de dag van de voorstelling ging ik na school direct naar huis om mijn huiswerk te maken en mijn moeder in de keuken te helpen. Vlak nadat mijn vader thuis was gekomen, wilde ik weer weg zijn omdat het stuk in de namiddag zou worden opgevoerd. Toen ik mijn jack aantrok, kwam mijn vader uit de huiskamer.

'Waar ga jij naartoe?' vroeg hij. Ik keek hem met grote ogen aan.

'Naar middagles,' loog ik.

Mijn vader fronste. 'Zo laat nog?'

Ik zei dat ik naar computerles voor gevorderden moest omdat die door ziekte van de leraar was uitgesteld.

'Tot straks, vader,' zei ik, en ik maakte aanstalten om naar buiten te gaan.

'Wacht eens even,' zei hij. Hij geloofde er geen woord van. 'Waar wil je nou echt naartoe?'

Toen herinnerde ik me hoe trots mijn ouders waren geweest toen ik in het koor van de basisschool in Sarleinsbach had gezongen. Ze kwamen naar elke voorstelling en zaten op de eerste rij. Eén keer had mijn vader een videocamera meegenomen om me te filmen. Hij was ontroerd en na het concert gaf hij me zelfs een complimentje omdat ik zo mooi had gezongen. Was het nu zo anders? Zou hij niet weer trots op me zijn?

Dus vertelde ik het hele verhaal. Over de heimelijke repetities. Over de lof van de leraar. Over de voorstelling. Over mijn hoofdrol. Ik hoopte dat mijn vader de videocamera zou pakken en mee zou gaan. In plaats daarvan draaide hij zich zonder een woord te zeggen om en ging de huiskamer in.

'Jij blijft thuis, Sabatina,' zei hij beslist. 'Pakistaanse meisjes spelen geen toneel. Daar houd je mee op.'

Ik mocht niet eens de leraar bellen om te zeggen dat ik niet mocht komen. Mijn afwezigheid bleek een ramp voor de toneelgroep. De volgende dag hoorde ik van een van mijn klasgenoten dat ze pas een paar minuten voor het doek opging beseften dat ik niet zou komen. Mijn leraar was op het podium gekomen om het publiek te zeggen dat ik niet kon komen omdat mijn ouders het hadden verboden.

Ik had me van mijn leven nog niet zo geschaamd.

Wat had ik moeten doen? Had ik domweg moeten toegeven en net zo moeten leven als mijn moeder? Ik was al te ver van de opvattingen van mijn familie afgedreven. Tegelijkertijd was ik bang voor een volledige breuk omdat ik niet wist wat er dan zou gebeuren. Ik was bang. Ik schreef pagina's vol in mijn dagboek en bad tot Allah om mijn ouders zover te krijgen dat ik meer mocht. Er veranderde niets. Op school ging het goed. Ik haalde hoge cijfers en hield van leren. Ik kon ook beter opschieten met de jongens dan met de meisjes. Ik sloot me aan bij een skateclub en droeg dezelfde wijde slobberbroeken, gympen en honkbalpetjes als zij. Geen van de jongens drong zich aan me op en daar was ik blij om, omdat ik het gevoel had dat ik nog niet aan een vriendje toe was.

Intussen was ik op zoek naar correspondentievrienden in Amerika en Engeland en ging ik bijna dagelijks naar het internetlokaal op school om mijn mail te controleren. Op school waren ook een paar Engelstaligen, uitwisselingsleerlingen uit Amerika. Een van hen was een jongen die Burim heette. Hij was een Albanees, maar woonde al sinds zijn geboorte met zijn ouders in North Carolina. Hij was een jaar ouder dan ik en zag er heel goed uit: hij was groot en mager en had kort zwart haar. Alle meisjes in mijn kringetje vonden hem een stuk en volgens mij wist hij dat ook. Na school hing hij rond bij school, meestal om te basketballen met zijn vrienden. Ik mocht hem graag en niet alleen omdat ik ook van basketbal hield...

Onze wegen kruisten elkaar dikwijls, maar het duurde toch een hele poos voordat we iets tegen elkaar zeiden. Ik wilde niet de eerste zijn en het was duidelijk dat hij niet de moed had mij aan te spreken. Meestal zag ik hem in het internetlokaal met zijn vriend Immanuel uit New York, ook een uitwisselingsleerling. Op een dag trof ik hen allebei in het internetlokaal. Ik ging achter een van de computers zitten om mijn e-mails te lezen. Die nacht had ik mail gekregen van mijn correspondentievriendinnen en ook een bericht van een onbekende. Dat maakte ik open. Er stond alleen *Je ziet er sexy uit vandaag*. Wie was de anonieme afzender? Ik had geen flauw idee.

Ik draaide me om en zag de twee jongens naar me grijnzen.

'Hebben jullie deze mail gestuurd?' vroeg ik.

Ze barstten in lachen uit en Burim werd vuurrood.

Na die dag ontmoette ik hen vrij vaak. Na school gingen we wandelen, dronken koffie, of speelden samen basketbal. Algauw was duidelijk wie van de twee ik het leukst vond, dus sindsdien trok ik alleen nog met Burim op.

Ik was een Pakistaans meisje van zestien in Linz en had mijn eerste vriendje. Het was fantastisch. Burim en ik zaten uren met elkaar te praten. Meestal troffen we elkaar in de pauze, maar ook 's middags na school. Thuis zoog ik nog meer verhalen uit mijn duim om meer tijd bij hem te kunnen zijn.

Er gebeurde weinig bijzonders in die 'relatie' omdat ik in dat opzicht nog altijd heel Pakistaans was. Van meet af aan had ik Burim duidelijk gemaakt dat ik gelovig was en daarom geen seks wilde, wat hij zonder morren aanvaardde. Soms kusten we elkaar, maar doorgaans hielden we alleen elkaars hand vast. Ik herinner me nog steeds de eerste echte kus van Burim. We liepen in het park en hij boog zich naar me over. Ik voelde zijn tong in mijn mond en tegelijkertijd rook ik een sterke chloorgeur omdat hij net uit het zwembad kwam.

Dat ging zo een maand lang door en ik was gelukkig. Voor het eerst van mijn leven was ik verliefd met alles erop en eraan: mijn hart ging sneller kloppen wanneer ik hem zag en als ik zijn hand pakte, geneerde ik me dood omdat mijn handpalmen kletsnat waren van het zweet. Ik schreef pagina's vol in mijn dagboek met lyrische verhalen over Burim. Maar ik was vooral zo blij omdat hij, in tegenstelling tot alle andere jongens, niet met alle geweld met me naar bed wilde. Dat schreef ik allemaal op in mijn dagboek en dat bleek nou precies mijn grootste vergissing.

Begin maart 1998 kwam ik op een middag na een ontmoeting met Burim thuis. Ik had mijn ouders verteld dat ik een extra les had. Blij stapte ik uit de lift en belde aan. Ik had nooit een eigen sleutel gekregen zodat mijn ouders me beter in de gaten konden houden. Mijn zus deed open en keek me somber aan.

'Wat is er, Aisha?' vroeg ik.

'Niks,' zei ze en ze holde naar onze kamer.

Ik liep haar achterna en toen zag ik het: mijn dagboek lag op de grond en de meeste bladzijden waren eruit gescheurd en lagen kriskras door de hele kamer.

'Ze heeft het gevonden en alles gelezen,' zei Aisha en ze kroop onder haar deken.

Op dat moment kwam mijn moeder binnen. Nog voor ik haar kon begroeten, begon ze me al te slaan. Haar linkerhand petste op mijn wang.

'Wie denk je wel dat je bent?' gilde ze. 'Hoer die je bent!'

Ze greep me bij mijn haar, sleurde me door de kamer en kwakte me tegen de muur. Het was voor het eerst van mijn leven dat ze me sloeg, en niet zomaar een tik zoals andere kinderen en jonge mensen kregen. Ze bleef maar aan mijn haar trekken, me in het gezicht stompen en schoppen. Ik huilde en schreeuwde, maar mijn moeder wist van geen ophouden. Ze bleef maar schreeuwen dat ik een schandvlek was voor de familie, een 'Oostenrijkse hoer'. Mijn zusje probeerde zich tussen haar en mij te wringen, maar mijn moeder duwde haar gewoon opzij. Ik probeerde uit te leggen dat er niets serieus tussen Burim en mij was, maar ze wilde gewoon niet naar me luisteren.

'Dit kun je niet maken. Je bent al aan iemand in Pakistan beloofd.'

Eerst dacht ik dat ik haar niet goed had verstaan.

'Je bent aan iemand beloofd, dus je hebt je maar te gedragen,' herhaalde ze.

Ik was vervuld van weerzin. Mijn ouders hadden een paar keer laten vallen dat ze me kort na mijn geboorte in Pakistan al hadden uitgehuwelijkt, maar dat had ik nooit serieus genomen. Toen ik nog klein was, vertelden ze altijd dat ik ooit zou trouwen met Salman, een neef van moederskant. Hij was twee maanden jonger dan ik en woonde bij zijn ouders in Lahore. In Pakistan had ik hem niet vaker dan een keer of drie gezien. Ik herinnerde me hem als een heel stille, teruggetrokken jongen, in geen enkel opzicht bijzonder. Hoe dan ook, destijds had ik hun toespelingen nooit serieus genomen en in Oostenrijk was ik ze glad vergeten.

Na een minuut of wat bedaarde mijn moeder. Ik ging op bed zitten huilen naast mijn zusje, dat ook in tranen was.

'Dat mag ze niet doen,' bleef Aisha maar herhalen. 'Ik zal wel voor je zorgen.'

Ik sloeg mijn armen om haar heen en drukte haar tegen me aan.

Toen mijn vader die avond thuiskwam, riepen hij en mijn moeder me naar de huiskamer. Hij was verrassend vriendelijk. Ik moest mijn verontschuldigingen aanbieden en beloven die jongen nooit meer te zullen ontmoeten. Dat deed ik.

'Ik vergeef je,' zei hij. 'Maar het mag nooit meer gebeuren!'

De volgende dag vertelde ik Burim voor de les wat er was gebeurd. Ik maakte het uit omdat ik heel bang was voor mijn ouders. Burim schudde slechts zijn hoofd, maar ik denk dat hij het wel begreep.

In die tijd was meneer Radhuber mijn klassenleraar, een heel vriendelijke man van een jaar of veertig. Hij had gezegd dat we altijd met hem konden praten als we moeilijkheden hadden. Nu had ik die, maar wilde ik echt naar hem toe? Dan zou alles officieel worden en ik wilde mijn vader en moeder geen kwaad berokkenen. Ze waren tenslotte mijn ouders. Maar stel dat het nog een keer gebeurde? Stel dat mijn moeder me weer zo wreed zou slaan? Die ochtend kon ik me nauwelijks op de les concentreren. Moest ik met hem gaan praten of was het beter van niet?

Na de middagpauze trok ik de stoute schoenen aan en ging ik naar hem toe. We liepen naar de bibliotheek zodat niemand ons kon storen. Hij zag meteen hoe moeilijk het me viel om alles te vertellen.

'Wees maar niet bang,' stelde hij me gerust. 'Ik doe niets wat jij niet wilt.'

Ik vertelde hem het hele verhaal. Dat ik niet uit mocht gaan met mijn vriendinnen, maar altijd rechtstreeks naar huis moest. Ik vertelde over het toneelstuk en over Burim. Meneer Radhuber hoorde me geduldig aan. Daarna verdween hij even in de vergaderzaal en kwam terug met een folder met de woorden OPVANG VOOR JONGE MENSEN IN CRISISSITUATIES. Hij zei dat ik met die mensen kon praten en dat zij me zouden helpen.

Toen ik die dag de school verliet, dacht ik lang en diep na over wat me te doen stond. Moest ik echt naar dat onderduikadres? Ik wist niet wat me daar te wachten stond en ik vond het ook een vrij grote stap. Jawel, mijn moeder had me zo hard geslagen dat mijn lip was gesprongen, maar toch bleef ze mijn moeder. Ze was Pakistaanse en sprak amper een woord Duits. Stel dat de mensen van het schuiladres haar het vuur aan de schenen zouden leggen? Wat zou er dan gebeuren? Ik zat niet te wachten op een ernstig conflict met mijn ouders.

Het was me duidelijk dat er geen uitweg was. Ik was niet zoals mijn ouders, dat was zo klaar als een klontje. Ik zat ook niet te wachten op het soort leven dat ze voor mij in petto hadden, en ik wilde zeker niet trouwen met iemand die zij voor me hadden uitgekozen. Ik zat in de problemen en er stond een heftige confrontatie met mijn ouders voor de deur. Ik voelde me Oostenrijkse, maar zij leefden volgens middeleeuwse normen en waarden, althans zo zag ik het. Al hield ik voortaan geen dagboek meer bij en kuste ik niet meer met een jongen, dan nog zou ik nooit de persoon worden die zij wilden dat ik was.

Ik ging naar het opvangadres. Het counselingcentrum bevond zich in een groot, geel gebouw. Alles zag er vrolijk en gastvrij uit. In de gang hingen foto's aan de muur en de mensen die ik er zag leken me heel aardig. Ik sprak met een maatschappelijk werker, die uitlegde wat het opvangcentrum voor me kon betekenen. Ze konden bijvoorbeeld met mijn ouders praten, mij tegen hen in bescherming nemen en als ik wilde, kon ik naar de opvang verhuizen. In dat stadium was dat laatste nog ondenkbaar, maar ik was opgelucht te weten waar ik naartoe kon als de nood aan de man kwam.

Daarna ging ik naar huis. Mijn moeder, die zich de vorige dag als door de duivel bezeten had gedragen, schonk nauwelijks aandacht aan me, al was ik bijna twee uur te laat. Daar keek ik een beetje van op, maar ik was ook opgelucht. Misschien had ze spijt van wat er de vorige dag was gebeurd; misschien zou het voortaan beter gaan.

Maar er veranderde niets, helemaal niets. Mijn moeder wist zich precies één week te beheersen en daarna was alles weer als voorheen, alleen erger. Ze ontnam me alle vrijheid. Ik mocht niet naar mijn vriendinnen en ook niet naar de bioscoop, zelfs niet naar matinees. Feesten, disco's en concerten: geen sprake van.

Mijn moeder sloeg me om het minste of geringste; als ik bijvoorbeeld een strakke spijkerbroek aantrok of een T-shirt droeg waaraan je kon zien dat ik borsten had, of als ze ook maar het kleinste spoortje make-up op mijn gezicht zag wanneer ik thuiskwam. Ze verbood me ten strengste om te gaan met bepaalde meisjes in mijn klas en met Oostenrijkse meisjes die in haar ogen te zedeloos gekleed gingen en dus 'hoeren' waren. Elke middag wanneer ik uit school kwam stond mijn moeder voor het keukenraam te kijken met wie ik uit de tram stapte. Was er een jongen bij, dan kreeg ik direct een pets. Het was soms al mis wanneer Pakistaanse vrienden iets tegen mijn ouders hadden gezegd. Als die me toevallig in de stad hadden gezien met vriendinnen, volgde er thuis een heftige ruzie en als ik in gezelschap van jongens was geweest, werd ik weer geslagen.

Zo ging het bijna een jaar lang door. Het was alsof ik in het hartje van Linz in de gevangenis zat. Mijn broers hadden weinig belangstelling voor de hele toestand. De jongens, die twee en vier jaar jonger waren dan ik, genoten de vrijheid die ik ook wilde. Na school konden die doen en laten wat ze wilden. Ze gingen naar feesten en voetbalwedstrijden en mochten zelfs bij vrienden logeren. In mijn geval zou dat ondenkbaar zijn geweest. Alleen mijn zusje stond aan mijn kant, maar omdat ze pas tien was, was zij veel te jong om een en ander te begrijpen. Zij wist alleen dat ik vaak verdrietig was en 's nachts aan één stuk door huilde.

Mijn vader was iets vriendelijker dan mijn moeder, maar je kon hem met de beste wil van de wereld niet als 'progressief' omschrijven. 'Dat doen Pakistaanse vrouwen niet,' zei hij wanneer ik klaagde dat ik niet naar de bioscoop of de disco mocht. 'En jij bent een Pakistaanse.'

Inmiddels is het me wel duidelijk dat mijn ouders op dat punt waarschijnlijk zo hun twijfels hadden. Het kon hun niet zijn ontgaan hoe groot de afstand tussen mij en hen en hun leven was geworden, en dat ik anders was dan zij op die leeftijd waren geweest. Ze werden ook constant door hun geweten geplaagd. Tenslotte hadden zij me naar Oostenrijk gebracht, dus voelden ze zich schuldig aan de verandering in mij. Ik weet niet of ze begrepen dat die verandering onvermijdelijk was en dat ze geen kans hadden mij in het hartje van Oostenrijk volgens de strikte Pakistaanse regels groot te brengen. Toch moet het mijn ouders duidelijk zijn geweest dat ze mij niet helemaal konden isoleren van de buitenwereld en dat ik uiteindelijk op die buitenwereld zou reageren, wat precies was wat ik deed toen ik me aanpaste en integreerde. Hoe had ik anders kunnen reageren? In tegenstelling tot hen groeide ik op in een land met een eindeloze variatie aan vermaak voor jonge mensen. In een land waar de dichtstbijzijnde bioscoop geen vijf uur rijden was, maar vijf tramhaltes verderop. In een land waar jonge mensen naar MTV kijken en waar ze direct de mode die ze op tv zien kunnen kopen bij H&M. In een land waar leraren geen kinderen mogen slaan, waar iedereen naar een fatsoenlijke school kan gaan en waar vrouwen veel meer mogelijkheden hebben dan het beperkte vooruitzicht van trouwen, kinderen krijgen en het huishouden doen.

Ik ben ervan overtuigd dat zij dat wisten en ook hoe weinig kans ze hadden mij in overeenstemming met hun normen en waarden groot te brengen. Juist dat laatste zal hen radeloos en onvoorspelbaar hebben gemaakt.

Mijn ouders hadden het in die tijd constant over mijn toekomstige huwelijk in Pakistan en ze vertelden me over mijn neef Salman, hoe knap hij eruitzag, wat een voortreffelijke leerling hij was en wat een aardige man hij was geworden. Net als ik hadden zij Salman zes jaar daarvoor voor het laatst gezien.

Zoals gezegd had ik dat huwelijksverhaal van meet af aan niet geloofd. Welk Oostenrijks meisje wordt nog door haar ouders tot een huwelijk gedwongen? Mijn ouders konden toch niet zo tot aan hun nek in de middeleeuwen leven? Maar toen het onderwerp steeds vaker ter sprake kwam, kreeg ik zo mijn twijfels.

'Ik ken hem niet eens,' zei ik. 'Ik kan niet met hem trouwen.'

En elke keer kreeg ik hetzelfde droge commentaar. 'Ja, je zult wel met Salman trouwen.'

In tegenstelling tot mij en mijn broers en zus onderhielden mijn ouders wel regelmatig contact met Pakistan. Ze belden vaak met mijn grootvader en mijn moeder sprak regelmatig met mijn oom, Salmans vader. Toen ik op een avond huiswerk zat te maken, hoorde ik mijn moeder bellen met mijn tante, Salmans moeder. Ik probeerde te horen wat er werd gezegd, maar ze praatte te zacht. Het enige wat ik door de dichte deur kon verstaan, was dat ze mijn tante een aantal malen bedankte. Nadat ze had opgehangen, kwam ze naar mijn kamer en zag ik dat ze tranen in de ogen had. Het waren tranen van blijdschap. Ze kwam naar me toe en omhelsde me voor het eerst in maanden.

'Ze heeft je aanvaard. Je tante wil dat jij haar schoondochter wordt,' zei ze.

De tranen sprongen mij ook in de ogen, al waren dat bepaald geen tranen van blijdschap. Ik was zeventien en er was nog van alles wat ik in mijn leven wilde doen. Trouwen met mijn neef en wonen in een dorp in Pakistan stonden beslist niet op mijn verlanglijstje. Ik was zo razend dat ik dat ook tegen mijn moeder zei, wat me een heftiger pak slaag opleverde dan ooit tevoren.

De weken daarop werd de marteling alleen maar erger. Er ging bijna geen dag voorbij dat mijn moeder me niet sloeg. In februari 1999 had ik er genoeg van en ging ik terug naar het opvangtehuis. Ik vertelde de maatschappelijk werker het hele verhaal, evenals de plannen om me uit te huwelijken aan Salman, waarop ze besloten een afspraak te maken voor een gezinsgesprek met mijn ouders.

De bijeenkomst met mijn ouders, mij en de maatschappelijk werker vond de volgende dag plaats, op 25 februari 1999, in het opvangcentrum. Mijn moeder deed haar mond niet open en het was duidelijk hoe onaangenaam mijn vader de hele toestand vond. Het was verschrikkelijk. Mijn ouders ontkenden alles: ze hadden mij nog nooit geslagen en ik had zogenaamd alle vrijheden die je maar kon bedenken. Zelfs het huwelijk was veel minder dramatisch dan ik het had voorgesteld, zeiden ze tegen de maatschappelijk werker.

'Als ze met Salman trouwt, dan is dat geheel haar eigen keus,' bezwoer mijn vader.

In het rapport van de maatschappelijk werker staat: *De ouders maakten de indruk goed mee te willen werken. Aan de andere kant hebben zij geen misverstand laten bestaan over hun religieuze en culturele normen en waarden.*

Mijn ouders en ik keerden naar huis terug en opnieuw veranderde er niets. Het maakte niet uit wat ik deed, ik kon het in de ogen van mijn moeder niet goed doen. Ik hielp haar in de keuken, maar dat was niet genoeg. Ik droeg conservatievere kleding, maar naar haar smaak bleef die te uitdagend. Kwam ik tien minuten te laat thuis omdat ik de tram had gemist, dan kreeg ik weer een pak slaag.

De situatie naderde een kritiek punt. Er ging nauwelijks een dag voorbij dat we geen ruzie maakten, maar het deed me steeds minder. Ik liet het maar over me heen komen en deed steeds minder moeite om te doen alsof. Ik zou nooit zo worden als zij! Na school ging ik met mijn vriendinnen naar het café, ik gebruikte make-up en deed geen moeite het helemaal van mijn gezicht te vegen voordat ik naar huis ging. Ik luisterde naar westerse muziek en droeg westerse kleren. Met bijna stoïcijnse onverschilligheid verdroeg ik de uitbranders en beledigingen van mijn moeder. Ze waren niet meer uit mijn leven weg te denken.

Het was duidelijk dat de bom vroeg of laat zou barsten, maar zelfs dat interesseerde me niet echt meer. Het gebeurde op een dag in mei. De reden van de escalatie was eigenlijk niet belangrijk: een T-shirt dat mijn moeder in de was had gevonden en dat ze te uitdagend vond. Terugkijkend was die dag niet anders dan alle andere dagen. Ik heb geen idee waarom ik de bewuste dag uitkoos om weg te lopen. Het moet gewoon de weg van de minste weerstand zijn geweest.

Ik had mijn pyjama nog aan toen mijn moeder het op een schreeuwen zette. Ik hoorde haar al in de badkamer tekeergaan en daarna kwam ze naar mijn slaapkamer met mijn T-shirt, een blauw geval van H&M tot op de heupen met korte mouwen. Ze sloeg me ermee om de oren. Ik barstte in tranen uit en schreeuwde dat ze moest ophouden en in haar razernij pakte ze een puntschoen en gaf me er met al haar kracht een oplawaai mee in mijn gezicht. Ik voelde mijn lip openspringen. Bloed sijpelde uit mijn mond. Ik wankelde in mijn pyjama naar buiten. Het was een impulsieve reactie, maar ik kon haar slaag gewoon niet langer verdragen.

Ik holde zo hard als ik kon naar beneden en belde aan bij de eerste de beste deur die ik zag. Daar woonde een jonge Afrikaanse, die ik een paar keer had gezien maar nog nooit had gesproken. Gelukkig was ze thuis. Ze deed open en keek me geschrokken aan. Ik moet er vreselijk hebben uitgezien op blote voeten, in pyjama en onder het bloed. Zonder een woord te zeggen, trok ze me naar binnen en deed de deur achter me dicht. Ze heette Celestine, was bijna twintig, en kwam uit Ghana.

'Ik wil niet dat mijn moeder me vindt. Je moet me verbergen,' zei ik.

'Ga eerst even zitten en vertel me wat er aan de hand is,' reageerde ze.

Celestine was een lange vrouw met een hartelijk gezicht. Ze was serveerster in een café in Linz. Ik had haar alleen uit de verte gezien, maar ik vertrouwde haar toch. Ze bracht me een kop thee, luisterde aandachtig en onderbrak me alleen als ze iets niet begreep.

'Oké, ik zal je helpen,' zei ze toen ik was uitgesproken.

We bleven de hele dag in haar appartement. Celestine wilde niet dat mijn moeder ons vanuit het keukenraam kon zien, dus wachtten we tot het donker was. Ze leende me een spijkerbroek, een sweatshirt en een paar schoenen, en toen we er zeker van waren dat niemand ons kon zien, gingen we naar buiten. Celestine had twee boezemvrienden, Romeo en Alfonso, die ook uit Ghana kwamen en niet veel ouder waren dan ik. We spraken af in het oude stadscentrum en gingen van het ene café naar het andere.

Het was een fantastische avond. Ik had van mijn leven nog niet zo lang gestapt. Opeens zat ik in een van die cafés waarover mijn vriendinnen van school het altijd hadden: voor het eerst zat ik in Durchhaus, een studentenkroeg in het centrum, en in Vanilli, waar de mensen zelfs na middernacht nog op de tafels dansten. Ik hield van de harde muziek, de rokerige lucht en een paar keer nam ik zelfs een trekje van Celestines sigaret. Voor het eerst van mijn leven voelde ik me echt vrij. Het was al lang middernacht geweest toen we naar Romeo's appartement terugkeerden, waar Celestine en Alfonso in Romeo's bed sliepen en ik met Romeo de bank deelde. Al gebeurde er hoegenaamd niets, ik was vreselijk opgewonden. Ik had nog nooit zo dicht bij een man geslapen. Toch was het me de volgende dag wel duidelijk dat ik daar niet kon blijven. Het appartement was gewoon te klein, in feite net groot genoeg voor Romeo, dus besloot ik naar het opvangtehuis te gaan.

Ik ging er op 12 mei 1999 naar toe. De maatschappelijk werkers waren aardig en ik kreeg de indruk dat ze allemaal wel hadden geweten dat ze me vroeg of laat zouden moeten opnemen. Ik kreeg een zolderkamer die ik deelde met een meisje dat Miriana heette. Zij had dezelfde problemen met haar Turkse ouders als ik met de mijne en woonde al een paar maanden in het opvangtehuis. De maatschappelijk werkers belden mijn ouders om te zeggen dat ik in het vervolg daar zou wonen. Mijn raadsman schreef in mijn dossier: *Opgenomen wegens dreigementen van ouders Sabatina naar Pakistan te brengen om daar te worden uitgehuwelijkt.*

Ik installeerde me en bereidde me voor op een langdurig verblijf in de opvang. Elke dag ging ik vanaf de opvang naar school en probeerde mijn leven zo normaal mogelijk voort te zetten. Mijn ouders belden de opvang regelmatig en probeerden om me over te halen weer naar huis te komen. Ik bleef echter koppig volhouden en was als de dood voor mijn ouders en hun Pakistaanse vrienden en kennissen. Bovendien had ik gehoord dat mijn grootvader mijn vader had gebeld en hem had bevolen mij tot rede te brengen, omdat anders de eer van de familie geschonden zou zijn en ik een schandvlek voor iedereen zou zijn.

Mijn ouders gaven het niet op en bleven bellen. Ze bedreigden de raadslieden en zeiden dat ik direct naar huis moest komen en dat ze me anders zouden verstoten. De oudste van mijn twee broers belde ook en schold me zo hard uit dat een van de raadslieden de hoorn uit mijn handen pakte en gewoon neerlegde.

Een week later kwamen mijn ouders onaangekondigd langs. Opnieuw hadden we een bijeenkomst met de maatschappelijk werkers. Mijn vader beloofde dat alles goed zou komen en ook mijn moeder bezwoer me dat ze me nooit meer zou slaan. Ze zeiden tegen de raadslieden dat ze mijn manier van leven zouden aanvaarden, dat er verder geen regels opgelegd zouden worden en dat ik kon doen wat ik wilde.

De maatschappelijk werkers waren aanvankelijk sceptisch, maar langzaam maar zeker begonnen ze mijn ouders te vertrouwen.

'Ze maken echt een aardige indruk,' zei een van hen tegen me.

Mijn ouders kunnen heel vriendelijk zijn als ze dat willen en de maatschappelijk werkers lieten zich inpakken. Ze drongen erop aan dat ik met mijn ouders mee naar huis zou gaan en zeiden ervan overtuigd te zijn dat er niets zou gebeuren. Op 20 mei 1999 stemde ik er uiteindelijk mee in om weer terug naar huis te gaan.

En tot mijn verrassing was de situatie deze keer inderdaad totaal veranderd. Mijn ouders waren vriendelijk en opeens waren er geen toestanden meer als ik twee uur later dan gewoonlijk uit school thuiskwam. Zelfs mijn moeder was opvallend aardig.

Nog geen week later begreep ik waarom. Mijn vader kwam vroeger dan anders terug van zijn werk. Hij vroeg me even naar de keuken te komen en vertelde dat hij een idee had waardoor alles beter zou worden.

'We gaan weer terug naar Pakistan,' zei hij. 'En daar kun je doen wat je wilt.'

'Wat ik maar wil?' vroeg ik.

'Ja,' antwoordde hij. 'Je mag naar de toneelschool of zangles nemen. Daar is alles beter dan hier.'

Ik dacht erover na. Op de een of andere manier sprak het idee me wel aan. Ik wilde naar de toneelschool, of dat nu was in Linz, Wenen of Islamabad. Voor de zekerheid overlegde ik met mijn vertrouwenspersoon in de opvang, maar zij had geen bezwaar en dacht zelfs dat het me goed zou doen om mijn vaderland weer eens te bezoeken. Misschien, dacht ze, zouden mijn ouders eindelijk inzien dat ik daar niet meer paste omdat ik zo was veranderd, en dan zouden alle problemen uit de wereld zijn. Haar argumenten overtuigden me en ik ging akkoord. Maar vervolgens kwam ik erachter dat er een addertje onder het gras zat.

'Als je teruggaat, moet je je met je neef Salman verloven. Dan is de eer van je grootvader als hoofd van de familie – en de mijne tegenover Salmans moeder – gered,' zei mijn moeder.

Ik aarzelde een ogenblik voordat ik een keel opzette.

'Ik ga niet met Salman trouwen. Ik wil met helemaal niemand trouwen, nu in ieder geval nog niet. En waarom draait alles om de eer van de familie?'

'Omdat die het belangrijkst is. Veel belangrijker dan jij,' antwoordde mijn moeder.

De tranen sprongen me in de ogen. Ik stond van tafel op en stormde naar mijn kamer. Mijn vader liep me achterna en ging op de rand van mijn bed zitten.

'Sabatina,' zei hij. 'Denk er eens over na. Pakistan is echt beter voor je. Daar kun je actrice worden en je hoeft niet met Salman te trouwen. Je moet je alleen met hem verloven en dan is alles in orde.'

Vergeleken met de andere beproevingen die ik met mijn familie had doorstaan leek die voorwaarde me niet zo vreselijk. De maatschappelijk werkers in de opvang hadden toch ook gezegd dat ik in Pakistan veilig zou zijn?

Tegenwoordig weet ik dat iedereen – zowel de maatschappelijk werkers als ik – de situatie totaal verkeerd heeft ingeschat. Ik had er nooit mee moeten instemmen, omdat niemand van achter een bureau in Linz kan beoordelen hoe veilig een tiener tienduizenden kilometers van Oostenrijk is.

Maar mijn ouders hadden in de opvang een heel overtuigend toneelstukje opgevoerd.

Ik dacht even na en ging akkoord.

'Als ik me echt alleen maar hoef te verloven, ga ik mee.'

Mijn vader knuffelde me en ik moet bekennen dat ik op de een of andere manier blij was. Zeven jaar nadat we uit Dhedar waren vertrokken, zou ik weer naar huis gaan. Ik zou Pakistan weer zien. Ik zou mijn neven en nichten weer zien. Ik zou actrice worden. De verloving met Salman hield me geen ogenblik bezig.

3

We vertrokken op de eerste dag van de zomervakantie van 1999. Mijn vader had vijf weken vakantie genomen en we wilden minstens zo veel tijd samen in Pakistan doorbrengen.

Ahmed, mijn vaders vriend uit Sarleinsbach, die ons zeven jaar daarvoor van het vliegveld had afgehaald, kwam weer om ons weg te brengen. Toen hij eindelijk met zijn stationcar voorreed, waren we allemaal heel opgetogen. In de voorafgaande weken had mijn moeder over niets anders gesproken dan haar broers en zussen. Mijn broers verheugden zich erop om weer met hun Pakistaanse neven te voetballen en mijn vader wilde zijn eigen vader laten zien hoe goed het met zijn gezin ging. (Dat mijn in zijn ogen betreurenswaardige ontwikkeling de werkelijke reden van de reis was, mocht toen natuurlijk geen rol spelen.) Mijn zusje was het meest enthousiast van allemaal. Toen we uit Pakistan weggingen, was zij pas vier en daarom had ze natuurlijk geen idee wat haar in Lahore en Dhedar te wachten stond. Zij kende de meeste familieleden die we de komende weken zouden bezoeken alleen van foto's.

Ook ik verheugde me op de reis. Ik was nieuwsgierig naar ons vroegere huis, mijn familie en vriendinnen. Ik had al jaren niets van ze gehoord en vroeg me af hoe ze eruitzagen. Wat was er bijvoorbeeld geworden van mijn boezemvriendin Deira, de dochter van de buren? Hoe zou ze eruitzien? Toen we nog in Pakistan woonden, waren we bijna onafscheidelijk; we waren even oud en zij was net zo'n uitgelaten meisje als ik. Zou ik haar nog wel herkennen?

Mijn verloving met Salman – de eigenlijke reden van de reis – had ik helemaal van me afgezet. Ik was ervan overtuigd dat het zo'n vaart niet zou lopen. Toen ik afscheid nam van mijn vrienden in Linz, was het net alsof ik langdurig op vakantie ging. Ik beloofde hun ansichten te sturen en hen op de hoogte te houden. Ik kon niet zeggen hoe lang we zouden blijven. Ik wist dat mijn vader vijf weken vakantie had, maar daarna? Als het me beviel in Pakistan en ik echt naar de toneelschool mocht, zou ik blijven. Zo niet, dan zou ik in de herfst naar Linz terugkeren en doorgaan met school.

Het was al na middernacht toen we in Lahore arriveerden. Zodra we uit het vliegtuig kwamen en in de shuttlebus stapten, besefte ik hoeveel ik van Pakistan was vergeten. Ik hapte naar adem, daar ik het klimaat was ontwend. Hoewel het midden in de nacht was, was het minstens vijfendertig graden. Het was heet en benauwd en over de hele stad hing een enorme wolk vanwege de hoge vochtigheidsgraad. Hoewel ik in Oostenrijk nooit naar de sauna was geweest – mijn ouders zouden dat zeker hebben verboden – kon die weinig verschillen van het middernachtelijke Lahore van toen.

In de aankomsthal zag ik de reden van de reis. Ik zag hem en herkende hem direct, al hadden we elkaar in zeven jaar niet gezien. Hij stond er met zijn vader te wachten: neef Salman, volgens de wil van mijn ouders mijn toekomstige man.

Hij begroette eerst mijn ouders en broers en zus voordat

hij op mij afkwam. Hij was veel groter geworden en al was hij twee maanden jonger dan ik, hij was minstens een hoofd groter. Hij had ook zwart haar, net als zijn vader donkere ogen en droeg een keurig westers pak. Het was duidelijk dat hij niet goed wist hoe hij mij moest begroeten. Hij wist waarom we waren gekomen en dat ik ooit zijn vrouw zou worden, maar kende me amper. Moest hij mij even hartelijk omhelzen als mijn broers? Hij besloot me een hand te geven.

'Ik ben blij dat je er bent. Ik droom vaak van je,' zei hij zo zacht dat alleen ik hem kon horen.

Ik deed een stap naar achteren.

'Dat is wederzijds, Salman *bhai*,' antwoordde ik duidelijk hoorbaar.

Ik wilde wel vriendelijk tegen hem zijn, maar tegelijk duidelijk maken hoe ik tegenover hem stond. Alle mannelijke familieleden van je eigen leeftijd worden in Pakistan aangesproken met *bhai*, 'broer'. Ik hoopte dat hij begreep wat ik bedoelde met die term.

Salman en zijn vader hielpen ons met de bagage voordat we naar het grote parkeerterrein van het vliegveld liepen, waar het nog warmer en drukkender was dan op de landingsbaan. Het was windstil. Mijn zus slaakte een diepe zucht.

'Is het hier altijd zo heet?' vroeg ze in het Duits en mijn broers en ik moesten lachen. Salman en zijn vader verstonden er natuurlijk geen woord van en keken ons niet-begrijpend aan.

We laadden de bagage in een grote auto, een Suzuki-pickup die mijn oom van zijn buurman had geleend. Daarna vertrokken we naar de Gulshan Ali Colony, de wijk van Lahore waar Salman met zijn familie woonde. Onderweg kwamen er herinneringen uit mijn kinderjaren naar boven: de lucht was vervuld van de vreselijke stank van benzine en afval, vermengd met een sterke currygeur. Hoewel het heel laat was, wemelde het nog altijd van de mensen en de auto's. En het verkeer! Mensen reden kriskras door elkaar; auto's, bussen, fietsen en ontelbare riksja's. Ik kreeg het gevoel dat er helemaal geen verkeersregels waren en als die er al waren, hield geen mens zich eraan. Toch beviel de stad me wel en vond ik het prettig er weer te zijn. Misschien hadden mijn ouders wel gelijk toen ze zeiden dat alles weer goed zou komen in Pakistan.

Bij aankomst in het huis van mijn oom zag ik dat onze familieleden ons een enorme ontvangst hadden bereid. Overal in huis hingen lichtjes, er stonden bloemen bij de voordeur en boven het hek hing een bordje met WELKOM THUIS. Mijn oom had de auto nog niet geparkeerd, of de deur ging open en mijn tante, neven en nichten en een paar buren stroomden naar buiten. Die waren minstens zo nieuwsgierig en opgewonden als wij.

Toen we uitstapten, holde mijn tante op ons af om ons uitbundig te knuffelen en kussen, vooral mij. Even was ik bang dat ze me niet meer zou loslaten.

'Ik ben zo blij dat je er bent,' zei ze.

Ik mompelde dat ik ook heel blij was, waarop ze me diep in de ogen keek.

'Alles zal nu goed komen,' fluisterde ze.

Ik begreep niet wat ze bedoelde, omdat ik dacht dat het al goed wás. Ik was gelukkig in Oostenrijk en nu waren mijn ouders redelijk vriendelijk tegen me. Ik was in Pakistan om me met haar zoon te verloven. Als ik wilde, mocht ik naar de toneelschool; zo niet, dan zou ik gewoon teruggaan naar Oostenrijk om mijn school af te maken. Dus wat moest er nog goed komen?

Eenmaal binnen week mijn tante nauwelijks van mijn zijde. Ze was buitengewoon hartelijk, bracht me thee en koekjes en het was ontroerend om te zien hoe ze zich om me bekommerde. Ze stelde eindeloos vragen over het leven in Oostenrijk, of ik het er naar mijn zin had en of ik het leuk vond om naar school te gaan. Ze wilde zelfs van alles over mijn vriendinnen weten. Langzamerhand werd ik wantrouwig. Kon zo veel hartelijkheid wel oprecht zijn?

Het was heel raar. Ik was voortdurend het middelpunt van de belangstelling. Alles draaide om mij. Daarvóór was ik nooit het middelpunt geweest. In tegenstelling tot mijn broers – de zoons en erfgenamen – was ik bijna een toevallig meubelstuk.

Maar ik zou liegen als ik ontkende dat ik niet een beetje gevleid was door al die aandacht. In Linz had ik altijd problemen met mijn ouders en het gevoel dat ik het nooit goed kon doen. Als ik er nu aan terugdenk, zijn tenminste mijn eerste uren in Pakistan een aangename herinnering. Ik werd vertroeteld en iedereen luisterde wanneer ik iets te zeggen had. Dat wil zeggen iedereen behalve Salman, die me totaal negeerde. Hij stond de hele tijd tegen de muur geleund en deed alsof hij niet de minste belangstelling had. Toch ontging het me niet dat hij me geen moment uit het oog verloor. Ik hoop niet dat hij valse verwachtingen heeft, dacht ik toen ik naar hem toe liep om een praatje te maken. Ik vroeg naar welke school hij ging, wat voor liefhebberijen hij had en of hij Lahore prettig vond, maar ik kreeg alleen maar ontwijkende antwoorden.

Uiteindelijk haalde ik een foto uit mijn tas om hem al mijn schoolkameraden te laten zien en legde tot in de bijzonderheden uit wie al die mensen waren en wie van hen mijn vrienden waren. Hij leek niet bijster geïnteresseerd in mijn beschrijvingen, maar ik hoopte dat hij de hint had begrepen. Ik wilde hem laten inzien dat die mensen het middelpunt van mijn leven waren en dat ik zo naar hen zou terugkeren, zonder een momentje spijt.

We bleven bijna een week bij Salmans ouders in Lahore. De familieleden en vrienden die ons hadden verwelkomd vertrokken een voor een, zodat er uiteindelijk maar twee gezinnen over waren. En het was precies zoals vroeger: de mannen verlieten het huis al vroeg om van alles te doen, terwijl wij vrouwen thuisbleven. De eerste paar dagen zat me dat niet dwars omdat er veel te vertellen was, maar daarna begon ik me met het uur meer te vervelen.

Waarschijnlijk besefte ik diep vanbinnen al dat ik daar niet meer thuishoorde. Mijn moeder kon uren achtereen in mijn tantes huiskamer met haar en de buren zitten babbelen. Ik daarentegen wilde dolgraag naar buiten om Lahore te bekijken, om op zijn minst te zien in wat voor omgeving Salman woonde, maar dat kon niet.

'Vrouwen mogen niet alleen op straat,' zei mijn moeder toen ik vroeg of ik een eindje mocht wandelen, waarna ze naar de keuken terugging om mijn tante te helpen.

Daarna probeerde ik stiekem naar buiten te glippen, maar dat was vergeefs. Ik had me er zo op verheugd om Lahore te ontdekken, de stad die ik ooit had beschouwd als de poort naar het Westen. In tegenstelling tot mijn geboortedorp was Lahore een stad met talrijke winkels, restaurants en bazaars. Nu ikzelf in een grote Europese stad woonde, wilde ik heel graag weten of ik Lahore nog steeds zo kolossaal en ontzagwekkend vond. En ik wilde ook een stukje Pakistaanse chocola eten, waarop ik als kind zo dol was geweest.

Het enige vrouwelijke familielid met wie ik het uitstekend kon vinden, was mijn twaalfjarige nichtje Hina, Salmans zus. Ze was een intelligent kind en knikte enthousiast toen ik vroeg of ze een eindje wilde wandelen. Ze pakte mijn hand en liep de lange stoffige straat in, waar alle huizen op elkaar leken: ze waren grauw, eenvoudig en eentonig.

Zoals alle Pakistaanse meisjes droeg Hina een salwar kameez. Ik daarentegen droeg een lange, wijde zomerbroek die ik in Linz vaak aanhad, met een jurk eroverheen. Ik had maar een vleugje make-up op, zodat niemand het in de gaten zou hebben, en mijn haar hing los. Naar mijn eigen idee zag ik er allesbehalve uitdagend uit, maar de mensen in Pakistan dachten daar blijkbaar anders over.

Hina en ik hadden nog geen tien minuten gelopen of er vormde zich een opstootje achter ons. Eerst had ik het niet eens in de gaten, maar toen ik besefte dat Hina opeens harder liep, keek ik om en zag een tiental jonge Pakistanen, die begonnen te jouwen en fluiten, en me complimenten maakten.

Het was heel akelig. We liepen snel verder en langzaam begon het me te dagen dat ik een vergissing had gemaakt. Ik had het huis niet in die kleren mogen verlaten. Ik was naïef geweest en was boos op mezelf omdat ik mijn familie niet serieus had genomen. Het was duidelijk dat ik met mijn zeventien jaar het effect dat ik op mannen had, had onderschat. We gingen zo snel mogelijk terug naar huis. De oudere mannen die aan de kant van de weg zaten, wierpen me woedende blikken toe, alsof ik iets heel ergs had gedaan. Opeens stond neef Salman met een rood aangelopen gezicht voor ons. Zonder een woord te zeggen, gaf hij Hina een klap in haar gezicht, waardoor er een felrode plek achterbleef. Ze barstte in tranen uit.

'Direct naar huis!' schreeuwde hij tegen mij. 'Wat denk je wel? Meisjes mogen niet alleen naar buiten. Dat hoor je te weten!'

'Wat denk jíj wel dat je zo tegen mij tekeergaat?' beet ik hem woedend toe. 'Je bent mijn vader niet, Salman bhai.'

Ik boog me over Hina om haar te troosten, maar ze was niet tot bedaren te brengen.

Thuisgekomen begonnen de moeilijkheden pas echt. Mijn moeder zat met mijn zus in een hoekje van de huiskamer en sloeg geen acht op me. Mijn vader daarentegen ontplofte. In een oogwenk was elk spoortje van de beminnelijke man die me in Linz had beloofd dat ik in Pakistan kon doen wat ik wilde, verdwenen.

'Wat bezielt je om alleen naar buiten te gaan?!' schreeuwde hij. 'Ben je vergeten wat de plaats van een vrouw in Pakistan is?'

Eerst dacht ik dat ik hem niet goed had verstaan. Had hij me nog geen maand geleden in het opvangtehuis niet beloofd nooit meer tegen me te schreeuwen?

'En moet je trouwens eens zien hoe je gekleed bent! Zo hoort een vrouw er niet uit te zien. Voortaan draag je je salwar kameez,' voegde hij er ijzig aan toe.

'Maar dat wil ik niet, vader. Ik wil een spijkerbroek dragen.' Het was duidelijk dat ik een gevoelige snaar had geraakt. Hoe durfde ik mijn vader tegen te spreken?

'Genoeg, Sabatina! We zijn nu in Pakistan, niet in Oostenrijk. Hier gedraag je je als ieder ander. En voortaan draag je geen spijkerbroek meer. Je weet donders goed dat onze godsdienst dat niet toestaat en ik weiger de lachlust van de buren te wekken omdat ik mijn eigen dochter niet eens kan opvoeden.'

Omdat het onderwerp in Oostenrijk niet ter sprake was gekomen, had ik maar één salwar kameez ingepakt, maar ik wilde geen ruzie met hem. In Oostenrijk had mijn vader zich al als een patriarch gedragen en hier zou hij ten overstaan van zijn familie helemaal geen spoortje zwakheid vertonen door zich door mij te laten tegenspreken. Dus ging ik naar de andere kamer om me te verkleden.

Als ik daar nu over nadenk, begrijp ik wel hoe banaal het allemaal was. En ik moet bekennen dat mijn eerste dagen in Pakistan in westerse ogen iets van het reisdagboek van een bakvis moeten hebben. He gaat allemaal over oppervlakkigheden: spijkerbroeken, T-shirts, Pakistaanse kleren, kinderlijke ruzies, chadors, sluiers en honkbalpetjes. En het lijkt wel alsof ik aan niets anders kon denken. Ik vraag me wel eens af of mijn moeilijkheden in Pakistan niet gewoon voortkwamen uit het feit dat ik een koppige fase doormaakte. Wat zou er zijn gebeurd als dit verhaal vier maanden in plaats van vier jaar geleden zou hebben plaatsgevonden? Ongetwijfeld zou ik net zo hebben gereageerd, omdat ik anders dan mijn ouders gewoon al te veel afstand had genomen van de traditionele Pakistaanse levenswijze. In Europa was ik veranderd door mijn omgeving in Linz; ik was anders geworden dan mijn ouders, anders dan mijn neven en nichten en de kinderen van onze familieleden en van de buren. Als ik nu naar Pakistan zou gaan, zouden waarschijnlijk heel veel dingen van dat land me tegenstaan, maar op mijn zeventiende was kleding altijd het middelpunt van onze meningsverschillen.

Niet dat ik zo graag met modieuze spijkerbroeken en fraaie T-shirts indruk wilde maken op vrienden en familie in Pakistan. Ik wilde laten zien dat ik anders was dan zij, en belangrijker nog, dat ik daar trots op was.

Hadden zelfs de maatschappelijk werkers in Linz me niet aangeraden met mijn ouders mee naar Pakistan te gaan om aan te tonen dat hun pogingen een Pakistaans meisje van me te maken tot mislukken gedoemd waren? Dat kon niet anders.

Maar wat was de beste manier om dat te bewijzen? Door bij mijn Pakistaanse familie gruwelverhalen op te hangen over het buitensporige leven van seks, drank en drugs in Oostenrijk? Door tegen mijn grootvader, de muezzin, te klagen over de schandelijke discriminatie die vrouwen in Pakistan dagelijks te verduren krijgen? Al had ik in die tijd zo gedacht, dan nog zou ik mijn gedachten nooit onder woorden hebben kunnen brengen. Had ik mezelf moeten onderscheiden door te weigeren mijn moeder te helpen met de afwas? Dat zou hooguit zijn beschouwd als een pubergril die je maar het best met een flink pak slaag de kop in kunt drukken; althans zo zou mijn familie erover hebben gedacht.

De wijze waarop ik me kleedde bleef de enige manier om mijn 'anders-zijn' tot uitdrukking te brengen en daarom hechtte ik zo aan een westers uiterlijk, al begreep ik dat destijds zelf nog niet helemaal.

Hoe dan ook, door mijn Oostenrijkse kinderjaren was ik anders geworden. Hoe langer we in Pakistan waren, hoe duidelijker me dat werd, vooral toen we afscheid namen van Salman en zijn familie om naar mijn geboorteplaats Dhedar te gaan.

De rit van Lahore naar Dhedar duurde ruim twee uur. Ik zat met mijn zusje Aisha op de achterbank. Mijn hart maakte een sprongetje bij het zien van de eerste huizen van Dhedar. Alles zag er nog precies hetzelfde uit: de straten, de huizen en zelfs de bomen zagen eruit alsof we pas gisteren waren vertrokken. Ondanks alles wat er was voorgevallen, was het fantastisch om weer thuis te zijn. Toen we afsloegen naar onze vroegere straat en gas terugnamen, voelde ik hoe mijn zusje mijn hand vastpakte.

'Ik ben bang,' kreunde ze.

'Waarom?'

'Kijk maar achterom.'

Auto's waren er zo'n zeldzaamheid dat onze komst voor de dorpskinderen een groot evenement was. Ze holden enthousiast achter ons aan. Net als bij ons vertrek had Dhedar hooguit tweeduizend inwoners. Het dorp ligt op een grote vlakte, maar aan de horizon zie je de bergen van Kasjmir, de grensstreek tussen Pakistan en India die al eeuwen zo fel omstreden is. In economisch opzicht is de streek allesbehalve ontwikkeld. In een straal van honderd kilometer is er geen enkele industrie, waardoor de bevolking van Dhedar en de omliggende dorpen van de landbouw moet leven. Boeken en kranten zijn zeldzaam en slechts een handvol nieuwe bewoners kan zich een tv veroorloven. In Lahore was ik al geschrokken van de achterlijkheid van de Pakistanen, maar Dhedar was helemaal een schok.

Bij het passeren van de eerste huizen zag ik hoe gespannen mijn vader was. Inmiddels begrijp ik de druk waaronder hij stond wel: hij was altijd dol op Dhedar geweest, misschien omdat hij al op zijn achttiende naar Europa was vertrokken. Voor mijn vader was Dhedar een heel speciale plek, waar hij in de eerste plaats met respect werd behandeld, grotendeels door mijn grootvaders positie. In Europa was mijn vader altijd een vreemdeling gebleven, die nooit in de beste wijken woonde en de taal niet goed sprak, maar hier stond hij in hoog aanzien. Telkens wanneer hij thuiskwam, wilden de buren al zijn verhalen horen, en wat hij zei droeg een zeker gewicht. Misschien verklaart dat waarom respect en vooral de reputatie van de familie zo belangrijk voor hem zijn.

Desondanks had mijn vader een allesbehalve makkelijke jeugd gehad. Kort na zijn geboorte was mijn grootvader van zijn moeder gescheiden, kennelijk omdat ze naar zijn smaak niet blank – lees 'mooi' – genoeg was. Kort daarop verhuisde mijn biologische grootmoeder naar een ander dorp ruim twee uur verderop, hertrouwde mijn grootvader en kreeg mijn vader zes halfbroers en -zussen: Nazia, Shazia, Safia, Rafia, Imran en Iqbal. Maar hij ontwikkelde nooit een hechte relatie met hen en tot op de dag van vandaag heeft mijn vader nauwelijks contact met zijn biologische moeder. Voor hem was alleen mijn grootvader, de muezzin, belangrijk. Tegenover hem moest mijn vader bewijzen hoe goed hij zijn gezin bestierde.

We bleven een week in Dhedar en ik voelde me er van meet af aan slecht op mijn gemak. In Lahore was het al erg genoeg om de hele tijd in huis rond te moeten hangen, maar in Dhedar was het zonder meer ondraaglijk. Tenslotte was Dhedar het dorp waar ik de meeste mensen die ik op straat kon tegenkomen nog van vroeger kende. Wie zou er naar me fluiten zoals in Lahore was gebeurd? Als klein meisje had ik uren met mijn vriendinnetjes door het dorp gehold; ik kende er alle hoeken en gaten en bomen en waterputten. Waarom was dat nu ineens verboden? Alleen omdat ik tien jaar ouder was en menstrueerde?

Ik begreep evenmin waarom mijn nichtjes zo reageerden op de beperkingen. Ik kreeg de indruk dat ze zich in hun lot hadden geschikt en stille, gehoorzame vrouwen waren geworden. Ze droegen een salwar kameez, spraken alleen als er iets tegen hen werd gezegd en deden niets anders dan huishoudelijk werk. Ik probeerde vergeefs een paar keer met hen te praten. Toen ik hun iets over school vertelde, schudden ze ongelovig hun hoofd. Hoe konden jongens en meisjes nu in één klas les krijgen? Ze hadden geen notie van de films die ik had gezien of van de boeken die ik had gelezen. Ze hadden geen idee van het leven in het Westen en reageerden alsof ze dat ook niet wílden weten. Andersom was het net zo. Ze vertelden mij over hun recepten en de laatste dorpsroddels, wat mij weer geen fluit interesseerde.

De ergste dag van mijn verblijf was toen mijn jeugdvriendin Deira op bezoek kwam. Hoewel ik aanvankelijk dolblij was, wist ik vanaf het moment dat ze binnenkwam dat alles anders was geworden. Ze droeg een lange, witte salwar kameez en had haar haren onder een sluier verstopt. Maar dat was nog niet de grootste schok: mijn vriendin Deira, die altijd de brutaalste en levendigste van ons tweeën was geweest, was een zwijgzame, gereserveerde vrouw geworden. Ze zat op de bank in de huiskamer en deed haar uiterste best geen ongepaste bewegingen te maken en zo onopvallend mogelijk over te komen, alsof ze helemaal niet bestond. We hadden het over mijn leven in Oostenrijk, maar met elke zin zag ik duidelijker hoezeer ze van haar stuk raakte van mijn verhalen. Ze begreep niet dat vrouwen in een café konden zitten babbelen met jongens, zoals ik dat in Linz gewend was. En toen ik vertelde dat ik 's zomers wel eens naar het zwembad ging, keek ze me totaal verbijsterd aan, alsof ik haar had toevertrouwd dat ik elke dag met een andere jongen naar bed ging.

Twee uitstapjes met haar familie naar Lahore om wat te winkelen waren de enige afleiding die Deira de afgelopen zeven jaar had gehad. Haar leven speelde zich af in een huis van ongeveer vijfenveertig vierkante meter met een binnenplaats die ruim twee keer zo groot was, wat ze totaal niet erg leek te vinden. Ze vertelde dat ze het jaar daarop ging trouwen – vanzelfsprekend met een man die ze nog nooit had gezien – en dat ze zich daarop verheugde: op de bruiloft, op haar man en op de kinderen die hij haar zou schenken.

Toen haar broers haar twee uur later kwamen ophalen, omdat ze niet alleen over straat mocht, was ik diep geschokt. Het was duidelijk dat Deira zich exact volgens de eisen van haar omgeving had ontwikkeld. Ze was een keurige Pakistaanse vrouw geworden, die niet over haar toekomst hoefde na te denken omdat alles al door haar ouders was bekokstoofd. Ik had met haar te doen omdat ik het gevoel had dat haar leven al voorbij was voordat het goed en wel was begonnen. En tegelijkertijd was ik geschokt door de ontmoeting met Deira omdat het nog niet eerder in Pakistan zo duidelijk tot me was doorgedrongen hoe mijn ouders wilden dat ik zou worden. Maar zo was ik niet, van geen kant. Ik had nog een heel leven voor de boeg. Daar was ik van overtuigd. Tot op de dag van vandaag heb ik nooit meer iets van Deira vernomen.

Alle dagen in Dhedar waren eender. We stonden op en ontbeten met chapati's en chai voordat de mannen het huis verlieten. De vrouwen kookten, maakten schoon en keuvelden. Het was afschuwelijk. Ik mocht niet naar buiten en helaas had ik mijn tantes en nichten weinig te zeggen.

Tijdens mijn verblijf was de aanstaande verloving met Salman het gesprek van de dag. Mijn familie wist er natuurlijk van, net als mijn nichtjes, die regelmatig naar hem informeerden. Ze wilden weten hoe het was om met hem samen te zijn en of ik me al op de bruiloft verheugde. In hun ogen bofte ik maar, dat was zeker. Ze kenden Salman allemaal en vonden hem intelligent en aantrekkelijk.

'Je hebt echt een lot uit de loterij,' vond mijn nicht Nasija.

Toen ik in lachen uitbarstte, keek ze me onthutst aan. Zijzelf was toegezegd aan een verre verwant die ze nog nooit had gezien, maar dat stoorde haar niet. Ze verheugde zich zelfs op haar bruiloft, omdat die betekende dat ze uit Dhedar zou verhuizen om een nieuw leven in een ander dorp te beginnen. Ze vond het uitermate irritant dat ik mijn verloving met Salman niet op prijs stelde en er zelfs om moest lachen. Ze kon niet begrijpen dat ik niet met hem wilde trouwen omdat niemand in Oostenrijk met iemand trouwde van wie hij of zij niet hield, alleen omdat de ouders dat met alle geweld willen. Toen ik doorkreeg dat ik Nasija niet kon overtuigen, waren we gauw uitgepraat.

Maar een dag later werd ik bij mijn vader en grootvader geroepen. Ze waren des duivels. Eerst begreep ik niet waarom, maar dat werd algauw duidelijk toen ze naar mijn gesprek met Nasija verwezen. Ik had hen gekwetst en boos gemaakt.

'Wie denk je wel dat je bent?' tierde mijn vader. 'Hoe durf je onze familie met zulke verhalen te schande te maken?'

Ik barstte in tranen uit. 'Ik wil jullie niet te schande maken, maar ik wil ook niet met Salman trouwen.'

'Je trouwt wel met hem. Je zult geen schandvlek voor je vader en je moeder zijn,' beval mijn grootvader woedend.

Meende hij dat nou echt? Hadden ze in Linz tegen me gelogen toen ze me bezwoeren dat ik kon doen wat ik wilde? Langzaam maar zeker drong het tot me door dat ik in de val was gelopen. Ik was in Pakistan, een land waar ik er zeker van kon zijn dat geen mens me zou helpen. Er was hier geen noodopvang, geen maatschappelijk werker naar wie ik kon vluchten. Wat kon ik beginnen als ze me tot een huwelijk zouden dwingen? Ik kon mezelf wel voor mijn hoofd slaan. Hoe had ik zo stom kunnen zijn om naar huis te gaan en mezelf aan deze maatschappij uit te leveren? Toch had ik nog een sprankje hoop dat we eerdaags naar Oostenrijk zouden terugkeren. Tenslotte waren we hier al ruim drie weken, wat betekende dat mijn vader binnenkort weer aan het werk moest. En dat zou definitief het einde van deze marteling zijn.

Ik kan me de dag daarna nauwelijks herinneren. Ik weet alleen dat we uit Dhedar vertrokken voor een rondreis door Pakistan. We gingen naar andere familieleden in Saida Braham, Gujrat en Barnali. En overal werd hetzelfde toneelstukje opgevoerd: eerst waren de familieleden blij om me te zien en daarna smiespelden ze met elkaar achter mijn rug om. Wanneer Salman ter sprake kwam, besloot ik mijn mond te houden om te voorkomen dat ik mijn vader onnodig zou provoceren. Maar voor mij stond als een paal boven water dat ik niet met hem zou trouwen. En uiteindelijk zouden mijn ouders ook moeten inzien dat het allemaal zinloos was en naar Oostenrijk terugkeren.

Ik was opgelucht toen ik hoorde dat onze rondreis door het noordoosten van Pakistan eindelijk voorbij was en dat we naar Lahore teruggingen. Dat kon alleen betekenen dat we een paar dagen later naar Oostenrijk zouden terugvliegen. Ik had al tegen mijn ouders gezegd dat ik niet wilde blijven omdat het duidelijk niets zou worden met de toneelschool. Omdat ze daar niet op reageerden, ging ik ervan uit dat ze mijn beslissing accepteerden.

Toen we bij het huis van mijn oom en tante arriveerden, was ik eerst verbaasd dat er zo veel familieleden waren gekomen. Mijn grootvader was uit Dhedar gekomen, evenals de ooms, tantes, neven en nichten die we de afgelopen dagen en weken hadden bezocht. Wat dat betekende, had me natuurlijk meteen duidelijk moeten zijn, maar ik bleef het van me afzetten en deed alsof er niets aan de hand was.

De hele middag zat ik op de binnenplaats met mijn nichtjes uit Dhedar en vertelde hun ik hoe ik me erop verheugde weer naar Oostenrijk terug te gaan. Tegen de avond kwam mijn oom, Salmans vader naar buiten om te vragen of ik naar de huiskamer wilde komen. En daar zaten ze allemaal in een halve kring om mijn grootvader: mijn vader, moeder, Salmans moeder, twee andere ooms en tantes en Salman zelf, wiens gezicht een merkwaardige mengeling van spanning en zijn gebruikelijke onverschilligheid verried.

De kamer was versierd met bloemen en aan de muren hingen schilderijen en foto's van familieleden. Ik rook een sterke geur van curry en bloemen. Op dat moment kon ik het allemaal niet meer uit mijn hoofd zetten; verdringen hielp niet meer. Er waren zo veel familieleden gekomen omdat mijn toekomst hier en nu zou worden vastgelegd, en wel op een manier die ik me in mijn ergste nachtmerries nog niet had kunnen voorstellen.

Een hele poos hing er een onheilspellende stilte in de kamer. Uiteindelijk nam mijn tante het woord.

'We hebben zojuist besloten dat jij mijn schoondochter wordt.'

O jawel, mijn tante meende het echt en ik zag dat ze blij was. Sterker nog, ze was verrukt. Haar ogen straalden als nooit tevoren, althans niet sinds mijn verblijf in Lahore. Ik keek om me heen. Iedereen probeerde zo plechtig mogelijk te kijken. Wat moest ik? Er was geen twijfel mogelijk, het was hun ernst. Maar ik kon niet weglopen; niemand zou me helpen. Ik slikte en besloot er maar een grap van te maken.

'Hé, Salman bhai, hoor je dat? Je verandert van mijn broer in mijn man. Is dat niet geweldig?' riep ik uit met een blik op mijn neef.

'Hou onmiddellijk op met die onzin! Dit is geen grapje,' snauwde mijn moeder, die overeind was gekomen. Ik had haar nog nooit zo razend gezien. Boven haar neus tekende zich een diepe frons van woede af en op haar slaap klopte een blauwe ader. 'Jij trouwt met Salman en daarmee uit!' riep ze zo hard dat haar stem oversloeg. Het was zinloos, ze zou zich niet op andere gedachten laten brengen.

'Nee! Nooit!' Nu sloeg ook mijn stem over. Ten overstaan van de hele familie stond ik op en ik was van mijn leven nog niet zo kwaad geweest. Ik wilde niet dat ze zo over mijn lot beslisten.

Er barstte een oorverdovend gekrakeel los. Mijn moeder schreeuwde, al mijn tantes praatten door elkaar heen en mijn vader herhaalde steeds maar weer: 'Schande, schande, het is niet waar!'

Tot op dat ogenblik had mijn grootvader gezwegen en het tafereel onbewogen aangezien. Nu stond hij op. Direct viel er een doodse stilte.

'Hebben jullie dit meisje geen manieren bijgebracht?'

Met die woorden liep hij langs me heen zonder me een blik waardig te keuren. Ik voelde zijn broek langs mijn been strijken toen hij de kamer uit ging. Nog nooit had ik zo veel kilte in iemand gevoeld. De andere mannen volgden hem, terwijl ik bij de vrouwen achterbleef.

Direct was het weer een herrie vanjewelste. Iedereen praatte tegelijkertijd en flarden conversatie drongen tot me door, zoals 'schande' en 'ondankbaar kind'. Huilend van woede kwam mijn moeder op me af. Ik wist wat dat betekende. Ik zweette over mijn hele lijf en voelde mijn gezicht vuurrood worden. Ik was als de dood. Toen mijn moeder vlak voor me stond, zag ik rode vlekken op haar wangen. Haar oogleden trilden en ik zag dat ze diep ademhaalde. Ze haalde uit en sloeg me midden in mijn gezicht. Mijn wangen brandden en de tranen sprongen me in de ogen. Ik hield mijn armen voor mijn gezicht, maar mijn moeder was niet te stuiten. Ze stompte me keer op keer. Ze rukte aan mijn haar en trapte me pijnlijk met haar schoenen.

Ik huilde, ik schreeuwde en riep om hulp, al wist ik dat niemand een hand zou uitsteken. Ik probeerde niet eens te vluchten, omdat ik wist dat het nutteloos was. Waar moest ik naartoe? Ik stond als aan de grond genageld midden in de kamer en probeerde mijn gezicht te beschermen.

'Mama, hou op! U doet mijn zus pijn.'

Mijn zusje Aisha had me horen huilen en was uit de andere kamer binnengekomen. Vergeefs probeerde ze mijn moeder weg te trekken. Ze was de enige die het voor me opnam.

Uiteindelijk kwam Salman tussenbeide en hij trok mijn moeder van me weg. Ik hield Aisha stevig vast en holde de kamer uit.

'Slet die je bent, je mag blij zijn dat je überhaupt een man krijgt!'

Dat waren de laatste woorden van mijn moeder voordat ik de deur met een klap achter me dichttrok.

Ik was sprakeloos. Wat een vernedering. Mijn eigen moeder had me mishandeld en mijn familieleden hadden werkeloos toegekeken. Onbeheerst liet ik mijn tranen stromen terwijl mijn kleine zusje diep geschokt naast me zat. Ze was pas tien, maar misschien had ze begrepen dat haar een soortgelijk lot boven het hoofd hing. Ook zij was al aan een neef – Hassan – beloofd, de zoon van een tante van moederskant.

Maar mijn broers waren volkomen onaangedaan door het incident. Die hadden geen medelijden met me, en toen zij de binnenplaats op kwamen, zagen ze me niet als hun zus, maar als een jonge Pakistaanse die niet deed wat er van haar werd verlangd.

'Waarom trouw je niet gewoon?' vroeg Hassan, de oudste van de twee.

'Door jou hebben we constant problemen,' zei Adnan.

Ik zei niets. Het was zinloos met hen in discussie te gaan. Ooit zouden ze me misschien begrijpen, maar voorlopig was ik alleen maar een onruststoker die een leuke, zonnige dag met de familie had verknald.

Mijn vader was die avond in geen velden of wegen te bekennen. Hij was met mijn grootvader vertrokken en de stad in gegaan. Hij had de scène die mijn moeder had geschopt niet gezien. Nadat die eerst mij tegenover iedereen had vernederd, ging ze verder met zichzelf te vernederen. Telkens weer hoorde ik haar in de huiskamer schreeuwen en weeklagen.

'Waarom doet ze mij dit aan? Ik heb het leven geschonken aan een hoer!' bleef ze maar roepen, voordat ze zichzelf kastijdde met een stok.

Ik had wel eens gehoord dat er Pakistanen waren die zichzelf geselden als ze leden, maar had het nog nooit gezien. Nu was ik er getuige van en ging het om mijn eigen moeder. Urenlang hoorde ik haar schreeuwen en zich op de borst slaan, tot het eensklaps doodstil werd in huis.

Plotseling stond mijn tante voor me.

'Je moeder is ineengezakt. Weet je wat je haar hebt aangedaan?'

Ik ging naar de huiskamer, waar de andere vrouwen mijn moeder op de bank hadden gelegd. Ze bewoog bijna niet. Ze had altijd al problemen met haar bloeddruk gehad en nu was het haar allemaal te veel geworden. Ze belden de dokter.

'Ze moet wat drinken en deze pillen slikken,' zei hij.

Maar dat wilde mijn moeder niet.

'Laat me maar sterven! Ik heb het leven geschonken aan een hoer,' stiet ze hees uit, waarop de arts opdracht gaf mijn moeder naar het ziekenhuis te brengen.

'Wat ben jij voor dochter?' zei mijn tante beschuldigend. 'Het is jouw schuld dat ze zo ziek is!'

Ik was aan het eind van mijn Latijn. Niet dat ik het gevoel had dat het inderdaad mijn schuld was. Tenslotte had ik altijd gezegd dat ik niet met Salman wilde trouwen. Maar er hingen een intense vijandigheid en haat in de kamer. Geen mens nam het voor me op en mijn vrienden en vriendinnen in Oostenrijk waren zestien uur vliegen bij me vandaan. Ik had geen idee wat me boven het hoofd hing.

Ik ging naar de keuken om na te denken. Ik was in Pakistan en had van niemand hulp te verwachten, maar ik weigerde met mijn neef te trouwen. Dat was uitgesloten, omdat het inhield dat mijn ouders me hier zouden achterlaten om de rest van mijn leven door te brengen in de keuken van een huis in een achterafstraatje, een straat waar ik nooit op eigen houtje kon lopen. Ik kon mijn leven die kant niet op sturen. Ik had heel andere plannen: ik wilde mijn school afmaken, daarna misschien gaan studeren en iedereen laten zien wat ik kon. Ik wilde geen deel uitmaken van de massa, zoals mijn nichten en hun moeders, die een leven leidden waarin het hun enige doel was om niet op te vallen.

Maar hoe moest ik het aanpakken? Met mijn ouders kon ik niet praten, omdat die alleen maar zagen dat ik niet was zoals zij wilden dat ik was. Opeens had alles wat ze mij in aanwezigheid van de maatschappelijk werkers in Linz hadden beloofd zijn betekenis verloren. Ze waren woedend, agressief en tot alles in staat.

En in zeker opzicht begreep ik hen wel. Ze waren opgegroeid in een wereld met totaal andere normen en waarden en konden veel dingen die mij bewogen en boeiden domweg niet volgen. In hun ogen had ik hen te schande gemaakt, een schande die hen misschien voorgoed zou achtervolgen. Mijn moeder had gezichtsverlies geleden tegenover haar zussen en mijn vader, voor wie eer, moraal en respect nog belangrijker waren, had zich tegenover zijn eigen vader als een mislukkeling ontpopt. Mijn vader nog wel! De man die altijd voor erkenning had gevochten en gehoopt had dat hij die dankzij zijn succes in Europa zou krijgen, niet alleen van de buren, maar ook van zijn vader. En nu had ik hem voor gek gezet.

Kon het zijn dat ik echt de schuld van alles droeg? Had ik me gewoon moeten conformeren? Op een gegeven moment besefte ik in de keuken dat er geen uitweg was. Mijn leven was kapot, wat er ook gebeurde. Als ik met Salman trouwde, zou ik mijn leven in een achterafstraatje doorbrengen; deed ik dat niet, dan zou ik mijn ouders zo ernstig beledigen dat onze relatie onherstelbaar verwoest zou zijn.

Op dat moment viel mijn blik op het zware, platte mes op het aanrecht, dat mijn tante had gebruikt om grote stukken vlees mee te snijden. In de andere kamers hoorde ik mijn familie schreeuwen en klagen. Door mij lag mijn moeder in het ziekenhuis. Mijn vader was nergens te bekennen, maar dat deed er op dat moment niet toe; hij zou me ook niet helpen. Ik pakte het mes. Opeens stormde Salman de keuken in. Toen hij me zag, wierp hij zich op me, gooide me op de grond en sloeg het mes uit mijn handen. Hij hoefde niets te zeggen; de blik van afgrijzen op zijn gezicht sprak boekdelen. Tranen van woede en wanhoop sprongen me in de ogen.

'Salman, begrijp het alsjeblieft. Het spijt me, maar ik hou niet van je. Ik zal nooit trouwen met een man van wie ik niet hou.'

Voor een Pakistaanse vrouw is het gewoon ondenkbaar dat een vrouw een bruidegom afwijst. Het tegenovergestelde geldt voor een man, want die kan weigeren te trouwen, al hebben zijn ouders een vrouw voor hem uitgekozen. Dat was een nicht van me overkomen: de man aan wie ze was toegezegd weigerde na de kennismaking met haar te trouwen. Kon Salman niet gewoon hetzelfde doen?

'Het spijt me heel erg, Salman, maar ik kan me niet voorstellen dat ik ooit een goede vrouw voor je zal zijn. Na alles wat er is gebeurd zal ik nooit van je kunnen houden. Wil je dat? Waarom zeg je niet tegen je vader en mijn moeder dat je niet met me wilt trouwen?'

Hij keek me onbewogen aan.

'Omdat ik wel van jou hou. Ik hou van je en jij zult ook leren van mij te houden.'

Inmiddels weet ik zeker dat ik mezelf niets zou hebben aangedaan. Ik zou het niet gekund hebben, en niet alleen omdat de islam zelfdoding verbiedt. Ik zou het niet gedaan hebben omdat ik nog niet klaar was met leven. Stiekem hoopte ik nog steeds dat er een oplossing voor mijn situatie gevonden kon worden. Maar het gevoel van hulpeloosheid van die dag staat me nog helder voor de geest. Tot op de dag van vandaag kunnen die herinneringen als een vlam in me oplaaien. Wanneer ik bijvoorbeeld in de metro een Turkse moeder haar kind een uitbrander zie geven. Of wanneer ik een film over een islamitisch land zie, een bericht in de krant lees, of wanneer ik de geur van curry van een Indiaas restaurant ruik. Ik zal die herinneringen nooit helemaal kwijtraken.

Die avond nog werd mijn moeder uit het ziekenhuis ontslagen. Ik was heel opgelucht dat ze zich weer beter voelde en er niet hoefde te blijven. Mijn tante en nichten brachten haar de huiskamer in en legden haar op de bank. Ze viel gauw in slaap, maar zelfs toen ik haar hoorde snurken, wilden ze mij niet binnenlaten.

'Vergeet het maar, Sabatina, je zou haar alleen maar nog meer van haar stuk brengen,' zei mijn tante.

De volgende morgen kon mijn moeder weer staan. Al zei ze geen woord over de gebeurtenissen van de vorige dag, ik zag in één oogopslag dat ze mij van alles de schuld gaf. Toen mijn broer Hassan als klap op de vuurpijl ziek werd en met alle geweld naar huis wilde, besloot mijn vader dat we eerder terug zouden gaan dan we van plan waren. Hij regelde de vliegtickets en we namen afscheid van de buren. Ik was ontzettend opgelucht. Eindelijk gingen we terug naar Oostenrijk. Mijn problemen zouden niet verdwijnen, maar er zou tenminste een kloof van tienduizend kilometer tussen mij en mijn familie zijn. Ik slaakte een zucht van verlichting. Misschien zou alles toch nog goed komen.

De laatste dagen voor ons vertrek probeerde ik extra vriendelijk tegen mijn tante en Salman te zijn. Ik hoopte hen nog steeds zover te krijgen dat ze de bruiloft zouden annuleren. Dan zou alles in orde zijn. Maar zodra ik erover begon, kapte hij me af en zei hij dat hij er later in alle rust over zou nadenken. Voorlopig moest ik het daarmee doen. Misschien zou hij wel verliefd worden op iemand anders wanneer ik eenmaal weer in Oostenrijk zou zijn.

Op de dag van ons vertrek stond ik vroeg op om mijn spullen in te pakken en mijn tante te helpen met het ontbijt. Ze was vriendelijk tegen me, en misschien was ze ook een beetje verdrietig omdat de dingen zo waren gelopen. Even na tienen kwam mijn oom voorrijden met de auto van de buren en laadde hij de bagage in met Salman en mijn vader. Alle koffers verdwenen in de laadbak, behalve de mijne.

'Iedereen instappen!' riep mijn oom. Ik mocht hem heel graag omdat hij van alle familieleden het aardigst tegen me was geweest.

'Jullie zijn mijn koffer vergeten.' Ik was in een opperbeste stemming. Morgen zou ik weer in Linz zijn.

'Nee hoor.' Mijn vaders stem klonk koud.

'Hoezo?'

‘We zijn hem niet vergeten. Jij gaat niet mee.’

Ik voelde me misselijk worden. Mijn knieën knikten zo erg dat ik op de grond moest gaan zitten.

‘Maar waarom niet? Waarom mag ik niet mee?’

Mijn vader kwam naar me toe en bekeek me van top tot teen. Het was warm. Ik zag zweetplekken onder zijn oksels en rook zijn adem.

‘Ik heb geen ticket voor je gekocht omdat ik dat niet wilde. Een paar dagen geleden heb ik met je grootvader gesproken. Hij denkt er net zo over als ik. We willen dat je hier blijft. We willen dat je bij je tante en toekomstige echtgenoot gaat wonen en een fatsoenlijk meisje wordt. Een meisje dat zich weet te gedragen en als een nette Pakistaanse denkt,’ zei hij zacht maar nadrukkelijk.

Ik barstte in tranen uit. Ik wilde iets zeggen, maar er kwam niets uit.

‘Hoe lang?’ bracht ik ten slotte uit.

‘Tot je zover bent om met Salman te trouwen.’

Ik was verpletterd en smeekte mijn vader me mee te nemen, maar hij hield voet bij stuk. Zijn enige concessie was dat ik mee mocht naar het vliegveld. In de auto zat ik weer met Aisha achterin en moest de hele weg huilen.

‘Wat is er? Straks zijn we weer in Oostenrijk,’ zei mijn zusje.

Blijkbaar had niemand haar verteld dat ik niet mee zou gaan. Ik had het hart niet het haar zelf te zeggen.

Met mijn oom en Salman bracht ik mijn familie naar de gate. Voor de paspoortcontrole kwamen mijn broers naar me toe. ‘*Salaam.* Het beste ermee.’ Meer hadden ze niet te zeggen. Het afscheid van mijn ouders was zonder meer kil. Ze namen Aisha bij de hand en verdwenen door de controle.

‘Wat is er, Sabatina? Kom op!’ riep ze.

Ik durfde haar niet aan te kijken.

‘Ik ga niet mee, Aisha. Ik blijf hier en zal op je wachten. Vergeet me niet. En kom me alsjeblieft gauw halen, vader.’

‘We zullen wel zien.’

Ik maakte rechtsomkeert en holde de vertrekhal uit.

4

Volgens de Koran heeft Allah niet alleen zeven hemels, maar ook zeven hellen geschapen. Maar voor mij was er ook nog een achtste hel. Die was zo'n tachtig vierkante meter groot en bevond zich in Lahore: Salmans huis. Het bestond uit drie kamers: de huiskamer, waar mijn oom sliep, de slaapkamer waar mijn tante, nichtjes en ik 's avonds onze matten uitrolden, en de derde kamer, die van Salman. Het was een eenvoudig maar doelmatig huis met een aparte keuken, badkamer en wc, en een binnenplaats begrensd door het huis van de buren, met een poort naar de straat.

Het huis van het gezin van mijn neef stond in Gulshan Colony, een wijk van Lahore waar voornamelijk ambtenaren, witteboordenwerkers en militairen woonden. Naar Pakistaanse begrippen was het een prachtige woonwijk voor de middenklasse, al zag hij er naar westerse maatstaven uit als een sloppenwijk. Alle huizen in Salmans straat waren volgens hetzelfde ontwerp gebouwd: een poort met daarachter een klein huis met een grote binnenplaats, alles in hetzelfde, eentonige grijs. De straten zijn smal, stoffig en vol kuilen. Verharde wegen, leuke pleinen en parken zijn zeldzaam. Net als elders op die breedtegraad is het constant heet en klam, zodat ik de hele dag transpireerde. En er hing een permanente, penetrante geur van benzine en vuilnis, vermengd met curry.

Oom Ashgar, die in het leger had gediend, was door een verwonding met vervroegd pensioen en was zelden thuis. Hoewel hij niet meer kon werken, ging hij elke morgen vroeg van huis om de tijd bij zijn vrienden in een van de talrijke theehuizen van Lahore door te brengen en hij kwam doorgaans pas vlak voor het donker thuis.

Het onbetwiste hoofd van de familie was tante Shehnaz, de zus van mijn moeder. Ze bestierde het huishouden met de stem van een drilmeester, waartegen zelfs mijn oom niets durfde in te brengen. Tante Shehnaz was in de veertig en enorm dik. Jaren daarvoor was een van haar longen door een ziekte verwijderd en ze had altijd diabetesproblemen. De artsen hadden haar aangeraden alle vormen van opwinding te mijden, een voorschrift waaraan mijn impulsieve tante amper gehoor gaf. Neef Salman was haar uitgesproken lieveling. Hij ging nog naar school en wilde technicus worden.

En dan had je nog mijn twee nichten, Sana, die een jaar ouder was dan ik, en Hina, vijf jaar jonger. Beiden golden als fatsoenlijke Pakistaanse meisjes. Ze hielpen de hele dag met het huishouden, stelden geen kritische vragen en als ze weggingen, deden ze dat alleen in gezelschap van hun vader of broer, met hun haar keurig onder een sluier.

Het vertrek van mijn ouders was een grote klap voor me. Voor het eerst van mijn leven hadden ze me in de steek gelaten, en nog wel hier, in een land dat ik niet kende en waar ik de weg niet wist. Er was niemand met wie ik over mijn problemen kon praten behalve mijn tante en Salman, en die vormden nu juist de kern van mijn moeilijkheden. Ik had me nog nooit zo eenzaam en verlaten gevoeld. Op de terugweg van het vliegveld kon ik niet ophouden met huilen. Ik kon en wilde niet tot bedaren komen.

'Alles komt goed,' bleef Salman maar herhalen. Hij zat naast me op de achterbank.

'Wat kan er nu in hemelsnaam goed komen?' vroeg ik, al wist ik best dat hij het antwoord schuldig moest blijven. Ik zou niet verliefd op hem worden, noch met hem trouwen.

Mijn ouders wilden dat ik een fatsoenlijke Pakistaanse zou worden. Ik begrijp nog altijd niet wat hen bezielde. Geloofden ze nu echt dat ze mijn innerlijke emigratie door dit isolement met een ommekeer van honderdtachtig graden ongedaan konden maken? Dat ik een nieuw leven zou beginnen? Ik was bijna zeventien; met andere woorden, geen klein kind meer dat je met geweld, religieuze indoctrinatie en geestelijke wreedheid in een bepaalde vorm kunt kneden. Tenslotte had ik mijn jonge jaren doorgebracht in een land met op elke straathoek Coca-Cola, bioscopen, MTV en H&M; waar meisjes ongestraft jongens konden ontmoeten en de middagen konden verdelen tussen het zwembad en cafés. Niet dat ik ten volle van die voorrechten had genoten; mijn ouders hadden me in Oostenrijk evenmin helemaal vrijgelaten. Maar ik wist tenminste van het bestaan van al die dingen en daarom miste ik ze.

Toen we terugkwamen van het vliegveld, stond mijn tante ons al op te wachten. Ik huilde nog steeds, maar mijn tante, die de afgelopen dagen haar best had gedaan vriendelijk te zijn, deed geen poging me te troosten.

'Hou op met dat gejammer,' snauwde ze. 'Als ik klaar ben met jouw opvoeding, zul je precies weten wat hoort en wat niet hoort.'

Ik bleef de hele nacht huilen.

Toen ik de volgende morgen wakker werd, waren mijn tante en Salman al aangekleed.

'Opstaan,' zei mijn tante. 'En kleed je aan. We gaan een school voor je zoeken.'

Gedrieën persten we ons op Salmans brommer en daar gingen we. Eerst dacht ik dat mijn tante echt een school voor me ging zoeken; misschien was het allemaal zo erg nog niet. Misschien zouden we een school vinden die zich specialiseerde in muziek en dans. Maar toen we voor het eerste gebouw stopten, werd mijn dagdroom ruw verstoord. Het was een saai, eenvoudig gebouw dat zelfs aan de buitenkant smerig en stoffig was. Blijkbaar had mijn tante andere opvattingen over wat voor school het moest worden. En toen drong het opeens tot me door wat ze in haar schild voerde. Ze stuurde me naar een Koranschool.

In Pakistan bestaan er Koranscholen voor meisjes, en daar had ik al veel over gehoord. Er wordt zes dagen per week, van 's morgens vroeg tot 's avonds laat de Koran gelezen; honderden meisjes zitten er opeengepakt en genieten geen sprankje vrijheid. Voor zover ik wist, moesten de meisjes niets anders doen dan zich concentreren op de geschriften van Mohammed. Het gerucht ging dat het eten op die scholen slecht was, de hygiëne weerzinwekkend en dat de leerlingen geslagen werden. De scholen waren kweekvijvers van orthodoxe moslims, en al was ik destijds een gelovige moslima, ik zou mezelf zeker niet als orthodox hebben omschreven.

Toen we naar binnen gingen, zag ik in één oogopslag alles wat ik had gehoord bevestigd. Het zag er precies zo uit als ik het me had voorgesteld. Ik zag tientallen meisjes in salwar kameez; de meesten hadden hun haar verstopt onder een chador. Niemand lachte, niemand zei een woord en de stilte was bijna griezelig.

We gingen naar het schoolhoofd en mijn tante vertelde dat ze mij als leerling wilde inschrijven. Het hoofd keek me aan.

'Waar kom je vandaan?' vroeg hij.

'Ik ben geboren in Dhedar, maar ik heb de afgelopen zeven jaar in Oostenrijk gewoond.'

Hij stuurde me de gang op. Even later kwam mijn tante weer de kamer uit.

'Hij weigert je,' zei ze. 'Hij wil geen Europese meisjes op zijn school.'

Ze was razend, maar ik slaakte een zucht van verlichting. Als geen enkele Koranschool westerse meisjes wilde, zou het misschien niet zo slecht aflopen.

Hetzelfde herhaalde zich op alle andere scholen. Zodra de hoofden hoorden dat ik uit Oostenrijk kwam, wezen ze me af. Eén schoolhoofd stelde zelfs voor dat mijn tante me naar een gewone school zou sturen.

'Koranscholen zijn voor onze eigen meisjes al moeilijk genoeg. Voor uw nichtje zou het bijna onmenselijk zijn,' zei ze nadat ze me doordringend had aangekeken.

Maar mijn tante liet zich niet van de wijs brengen. 'Je moet fatsoenlijk worden opgevoed,' zei ze. 'Wees maar niet bang, we vinden wel iets.' Dat was nou juist waar ik wel bang voor was.

Op de vierde dag vond mijn tante inderdaad een school, een kostschool die me wel wilde. Twee dagen later brachten mijn tante en Salman me er op de brommer naartoe.

'Je komt pas terug als je hetzelfde bent als alle anderen,' zei mijn tante bij het hek, voordat ze zonder omhaal afscheid nam.

Het was een soennitische Koranschool in het centrum van Lahore en zelfs vanbuiten zag hij er alles behalve gastvrij uit. Ik zag alleen een lange, lichte muur, waarvan al het pleisterwerk was afgebladderd. In het midden zat een zwaar, smeedijzeren hek, dat snerpend piepte toen we het openduwden. Achter het hek was een binnenplaats met aan drie kanten gebouwen van één etage met een plat dak, die duidelijk in geen jaren waren opgeknapt. Overal liet het pleisterwerk van de gevels los, en in een van de muren zaten al grote gaten. De binnenplaats was uitgesproken smerig; er lagen puin en dakpannen met daartussen halfverrotte voedselresten; het was een paradijs voor ongedierte. Er hing een overweldigende stank van rottend voedsel, uitwerpselen en urine, vermengd met de alomtegenwoordige geur van curry.

Het was afschuwelijk. Toen ik de binnenplaats op liep, was het me al opgevallen hoe stil het er was. Er klonken geen stemmen, al moesten er een paar honderd meisjes in de school zijn. Dat was heel ongewoon voor Pakistan, waar het overal meestal een heksenketel van kabaal is.

Tot op de dag van vandaag weet ik niet hoeveel vertrekken en klaslokalen mijn Koranschool telde, omdat we niet over het terrein mochten rondlopen. Behalve de wc's en douches zag ik tijdens mijn hele verblijf alleen mijn klaslokaal en de binnenplaats, waar 's morgens appèl werd gehouden.

Het lokaal waar het schoolhoofd me naartoe bracht, was vierkant, een kleine vijftig vierkante meter groot en op de hele vloer lag tapijt. Ik keek onthutst om me heen en vroeg de andere meisjes waar de slaap- en eetzaal waren. Maar uit hun gegiechel leidde ik af dat die er geen van beide waren. De komende maanden zou ik bijna uitsluitend in deze ruimte doorbrengen. De hele dag moesten er een stuk of dertig meisjes leren, eten en slapen. Stoelen waren er niet, dus we moesten geknield op het tapijt eten en leren. 's Avonds gingen we gewoon op de grond liggen. Matrassen waren er niet, laat staan bedden.

Natuurlijk was er ook geen airconditioning. Als er in zo'n kleine ruimte dertig meisjes opeengepakt worden, zou zelfs de Noordpool nog opwarmen. In Pakistan, waar het 's zomers tegen de veertig graden wordt, heeft dat veel weg van de hel.

Zoals ik al vreesde, was het sanitair nog erger. Voor tientallen meisjes waren er maar drie washokken met douches, waarvan er meestal maar één werkte. De andere zaten verstopt of het licht deed het niet. Meestal stonden we in een lange rij op onze beurt te wachten. Het washok zelf was betegeld, maar de tegels waren zo smerig, dat ik me afvroeg of ze ooit werden schoongemaakt. De wanden waren totaal bevuild en als het warm was – met andere woorden bijna elke dag – wemelde het er van de vliegen en ander ongedierte. Overal lagen handdoeken die ooit wit waren geweest met sporen bloed. Geen van mijn medeleerlingen had ooit van tampons gehoord. Ze gebruikten die handdoeken en lieten ze vervolgens gewoon in het washok slingeren. Ik ging er bijna van over mijn nek.

Ook de douches tartten elke beschrijving, en niet alleen naar westerse maatstaven. Ze waren klein, amper twee vierkante meter, en er zat wel een slot op de deur, maar dat werkte niet, zodat anderen je altijd konden zien. Het meest absurd was de douche zelf. Er was geen douchekop – die zijn er onbekend – maar op navelhoogte zat een akelig klein kraantje. Ik moest ofwel hurken om me te wassen, of anders een plastic emmer gebruiken om met enige moeite water over mijn hoofd te storten, wat natuurlijk een eeuwigheid duurde. En daar was geen tijd voor, want voor de deur stond het volgende meisje al op haar beurt te wachten. Ik wilde altijd zo snel mogelijk maken dat ik wegkwam, omdat het water ook nog eens ijskoud was.

De wc was net zo onaangenaam: die bestond alleen uit een gat in de grond. En het was niet ongewoon dat het gat overstroomde en je in de poep stond. Vanzelfsprekend was er geen wc-papier, alleen een emmer met een groezelige vloeistof. Het was een marteling en het duurde een paar dagen voor ik de moed verzamelde mezelf daar te reinigen.

De eerste dagen had ik al door hoe eentonig het leven op de Koranschool zou zijn. Ik weet nog dat ik me binnen de kortste keren een gevangene voelde. De dagen verstreken volgens een streng regime en zonder enige variatie. Voor sommige mensen is zo'n routine misschien prettig, maar ik vond de eentonigheid moordend.

Even voor zes uur werd ik gewekt. Na *fadjar*, het ochtendgebed, moesten we ons wassen en aankleden. Er was geen schooluniform, maar toch zagen we er eender uit: de meeste meisjes droegen een chador en wie dat niet wilde, moest het haar in een streng knotje knopen omdat iets anders God onwelgevallig zou zijn. Verder waren we geheel in het wit gekleed. Wit is de kleur van de Profeet en vrome moslims moeten zijn leringen niet alleen in gedachten volgen, maar ook door hun uiterlijke verschijning in praktijk brengen. Wie niet gehoorzaamde werd net zo lang door de supervisor geslagen tot ze het wel deed.

De supervisor was een van de twee gezagsdragers die toezicht op ons hielden. Ze was een lange, magere vrouw wier gezicht permanent schuilging achter een sluier. Haar leeftijd viel niet te raden, maar afgaand op de zware stem waarmee ze meestal tegen ons snauwde, nam ik aan dat ze al vrij oud was. De supervisor bleef de hele dag bij ons. Ze zag toe op de verdeling van het eten, stuurde ons 's ochtends naar het waslokaal en onder de les, wanneer we de Koran moesten lezen, lette ze erop dat we ons fatsoenlijk gedroegen, niet kletsten of ons op een andere manier lieten afleiden. Ze zorgde ervoor dat discipline en orde de boventoon voerden en voor dat doel had ze altijd een stok in haar hand. Ze aarzelde nooit die te gebruiken. Als we fluisterden, lachten, of ons anderszins misdroegen, kregen we minstens vijf stokslagen.

Behalve het lezen van de Koran (wat 's morgens, 's middags en 's avonds gebeurde) kregen we ook godsdienstles van een moellah. Die begon om tien uur 's morgens en duurde twee uur.

'*Lakdio Parda Karo!*' riep de supervisor wanneer de moellah verscheen, wat betekende: 'Meisjes, bedek je, de moellah komt eraan.' Dan bedekten we ons gezicht en gingen we naar binnen. De moellah mocht geen vrouwen zien en voor dat doel werd het lokaal tijdens de les in tweeën verdeeld met een gordijn. De moellah zat voor het gordijn en wij meisjes zaten er in rijen van vijftien achter. Voor ons stond een tafel van vijf meter lang en vijftig centimeter hoog, waarop de koran lag. Die mocht namelijk nooit in aanraking komen met de grond.

'*Salam alaikum wa rehmatullah.*' Vrede zij met u. Dat waren elke dag zijn eerste woorden. Daarna besloot hij welke bladzijde van de Koran we die dag zouden lezen en begon hij met de les. Er heerste absolute stilte, omdat niemand de leraar iets durfde te vragen. Op een dag hoorde hij mij huilen.

'Wie zit daar te huilen?' vroeg de moellah.

‘Het meisje uit Oostenrijk,’ antwoordden de anderen.

Hij vroeg me bij hem te komen. Ik stond op, trok mijn salwar kameez recht en ging naar voren.

‘Nee, niet het gordijn wegtrekken. Dat is verboden!’ riepen de anderen toen ze zagen dat ik mijn hand uitstak om het gordijn opzij te doen. Wilde hij me nu spreken of niet?

‘Hoe heet je en waarom huil je, meisje?’ vroeg de moellah.

‘Ik heet Sabatina en ik vind het hier vreselijk,’ snotterde ik. Ik haalde mijn zakdoek tevoorschijn om mijn neus te snuiten.

‘Allah heeft jou uitverkoren, Sabatina. Daarom mag je naar een Koranschool. Dat is een voorrecht, dus je boft. En daarom moet je vroom zijn en niet huilen.’

Maar dat troostte me nauwelijks. Al zou ik na mijn dood naar het paradijs mogen, hier en nu was ik radeloos van ellende omdat ik op een Koranschool gevangenzat.

De lessen en het lezen in de Koran gingen door tot het avond werd, slechts onderbroken door gebeden: de *zohar* tussen twaalf en één uur, de *assar* (het middaggebed) om vier uur en de *maghrib* (avondgebed) om zeven uur. Voor elk gebed was er een rituele handwassing. De hele dag was er maar één pauze: om twaalf uur hadden we een uur om rond te lopen in de klas of op de binnenplaats. In die tijd moesten we ook eten. De dag eindigde om negen uur met *ischa* (het gebed voor de nacht).

Dat ging zo zes dagen achter elkaar door en daarna hadden we een dag vrij. Elke dag dezelfde routine met een gekmakende eentonigheid.

Maar die leek mijn medeleerlingen helemaal niet te deren. Of hadden ze er al in berust? De meesten waren van mijn leeftijd, en slechts een paar waren iets ouder. Telkens wanneer ik om me heen keek, zag ik uitdrukkingsloze, apathische gezichten. Er was niets waarvan ze opgewonden raakten. Ze hadden zich afgesneden van de buitenwereld en leefden in een sleur van bidden, Koran lezen, nog meer bidden en slapen.

De dagen verstreken dodelijk langzaam en ik kon maar niet wennen aan mijn nieuwe leven op die school. Ik dacht bijna constant aan mijn familie. Waarom hadden ze me dit aangedaan? Alleen omdat ik niet met Salman wilde trouwen? Ik was de hele tijd verdrietig en verlangde naar Linz, naar mijn vrienden en vriendinnen en zelfs naar mijn ouders. Mijn vader had beloofd me ooit op te halen en ik geloofde hem. Daar klampte ik me aan vast. Maar... wanneer? Ik kan me de ontelbare malen nog herinneren dat ik Allah bad om verlossing en om mijn vader te sturen om me op te halen, maar er gebeurde niets.

Ik kon me niet aanpassen. Ik wist dat ik deze kwelling niet zou overleven, al kon ik niet precies zeggen wat ik het ergste vond: deze bouwvallige school, de strenge supervisors of de marteling van het dagelijks opgesloten zitten en vegeteren in die sleur, zonder ook maar de geringste kans op vrije tijd of afwisseling.

Hoewel ik met de andere meisjes in zo'n kleine ruimte verbleef, had ik amper contact met hen. Ze begrepen maar niet waarom ik het allemaal zo moeilijk vond. In het begin hadden er een paar nog geprobeerd met me te praten. Ze wilden weten waar ik vandaan kwam en waarom ik zo vaak huilde. Ik vertelde hun over Oostenrijk, over mijn leven daar, over de muziek, de bioscoop en de cafés. Ook zij hadden weinig begrip voor de problemen met mijn familie en mijn weigering met mijn neef te trouwen. 'Wat is er zo erg aan als je ouders een man voor je uitkiezen?' vroegen ze. Voor hen was dat vooruitzicht doodgewoon. De meesten waren al aan iemand vergeven. 'Liefde' of 'genegenheid' waren vreemde woorden, iets wat ze wel van Allah zouden krijgen als bonus bij een gelukkig leven.

Overdag was praten meestal verboden. Als een meisje te hard praatte, kreeg ze zonder waarschuwing een klap van de supervisor. Soms moesten we zelfs op de binnenplaats bijeenkomen, waar de leerkrachten een voorbeeld zouden stellen. Dan werd een van de meisjes voor de een of andere onbenulligheid zo vaak ten overstaan van alle andere met een stok geslagen, dat het arme meisje een paar dagen amper kon zitten. Ik had geluk dat ik me nooit aan zo'n straf hoefde te onderwerpen.

Op school kwam het niet alleen aan op het lezen van de Koran. De leerkrachten probeerden er ook alle regels en voorschriften waaraan een Pakistaanse zich te houden had in te stampen. Een vrouw mocht bijvoorbeeld nooit haar haren los laten hangen, omdat dit als onzedelijk wordt beschouwd. Je mocht ook niet staande drinken, omdat dit God onwelgevallig was. En een vrouw wordt tijdens de menstruatie als onrein beschouwd, dus dan mag ze de koran niet aanraken.

In de pauze zat ik meestal alleen in een hoekje van de binnenplaats treurig naar foto's van mijn Oostenrijkse vrienden en vriendinnen te kijken. Ik vroeg me af wat ze van me zouden denken. Ik had hun beloofd vanuit Pakistan te zullen schrijven, maar dat was niet mogelijk geweest. Toen ik op een keer een brief aan mijn vriendinnen probeerde te schrijven, pakte de supervisor die gewoon van me af. 'Je tante heeft gezegd dat dit niet mag,' zei ze, en dat was dat.

Langzaam maar zeker begon de Koranschool een wissel op me te trekken. Ik werd steeds apathischer en somberder en sleepte me loodzwaar van de ene troosteloze dag naar de volgende, al waren de schooldagen altijd nog beter dan de vrije dagen, die het merendeel van mijn klasgenoten bij hun familie doorbracht. Niemand kwam mij halen. Maar ja, mijn ouders woonden dan ook niet in Pakistan, en al die maanden kwam mijn tante noch een van haar familieleden me opzoeken.

Ik had maar één vriendin op de Koranschool. Ze heette Aischa, was even oud als ik en kwam uit een dorpje honderd kilometer ten noorden van Lahore. Ze had een moeilijke jeugd gehad omdat haar ouders waren gestorven toen ze nog klein was. Op haar vijfde was ze in huis genomen door een tante, die haar heel vaak sloeg. Ze werd ook herhaaldelijk misbruikt door haar oom, zonder dat haar tante ingreep. Voor Aischa was de Koranschool een waar paradijs, omdat ze daar eindelijk met rust werd gelaten.

Zij was de enige die een poging deed mij te begrijpen. Hoewel ze was grootgebracht met de Koran en nooit buiten Pakistan was geweest, was ze minder conservatief en benepen dan de rest van de meisjes. Ze wilde van alles en nog wat over Oostenrijk en zijn bevolking weten, al was het duidelijk dat ze het moeilijk vond alles te begrijpen wat ik haar over het leven daar vertelde.

Aischa was in die tijd een echt houvast voor me en ze troostte me wanneer ik 's nachts werd overweldigd door heimwee naar Oostenrijk of wanneer ik huilend uit mijn slaap wakker schrok. Ze nam het ook voor me op als ik door de andere meisjes werd geplaagd en bleef aan mijn zijde als ik niet wist hoe ik de volgende maaltijd moest overleven. Van meet af aan kreeg ik bijna geen hap door mijn keel van het eten dat ons elke dag werd voorgezet.

Vooral het avondmaal, dat meestal bestond uit dal, een ondefinieerbare soep van rode linzen en roti, het eeuwige platte brood, bezorgde me regelmatig problemen. Vóór het eten ging ik altijd met Aischa naar het washok om onze handen te wassen. Natuurlijk stond er dan een lange rij voor de wasbak, dus moesten we een tijdje op onze beurt wachten. Wanneer ik eindelijk naar binnen kon, bleef mijn blik altijd eerst op de berg bebloede maandverbanden rusten die te midden van alle andere vuiligheid en ongedierte naast de wasbak lag. Dan voelde ik een golf misselijkheid in me op komen en moest ik me met Aischa naar de wc haasten.

Ik kreeg gewoon geen hap naar binnen omdat ik voor elke maaltijd kotsmisselijk was, ook omdat ik die wc's moest gebruiken die constant overstroomden en naar urine, uitwerpselen en braaksel stonken. Ik leed al bijna constant aan die vreselijke onpasselijkheid sinds ik twee maanden daarvoor op de Koranschool was gekomen, tot ik op een dag weigerde nog één hap te eten.

Mijn herinneringen aan die troosteloze tijd zijn heel versnipperd en vaag. De eindeloze eentonigheid dreef me niet alleen tot mijn lichamelijke grenzen, maar boorde zich langzaam maar zeker ook een weg in mijn psyche, waardoor mijn weerstand het langzaam maar zeker begaf. De hersenspoeling kreeg langzaam vat op me, al was dat niet op de manier die mijn ouders, mijn tante en de Koranschool het zich hadden voorgesteld. Ik was geen fatsoenlijk Pakistaans meisje geworden dat zich op haar bruiloft verheugde, zoals zij hoopten. Integendeel, ik was ongevoelig en apathisch geworden; ik wilde zelfs niet meer leren, iets waarvan ik vroeger zo had genoten.

Langzaam maar zeker kregen mijn supervisors in de gaten dat ik steeds magerder en lamlendiger werd. Toen ik ook nog eens onder de luis kwam te zitten en ziek op bed lag met ernstige diarree en koliek, kwamen ze eindelijk in actie en namen ze contact op met mijn tante. Mijn marteling was eindelijk achter de rug, maar toen mijn tante me kwam ophalen, was ik zo verzwakt dat ik niet eens blij kon zijn.

5

Ik was veranderd toen ik bij mijn oom en tante terugkwam. De maanden in de Koranschool hadden me stiller gemaakt.

Niet dat ik nu wel met Salman wilde trouwen, maar de pogingen van de supervisor en de moellah mij discipline bij te brengen hadden duidelijk vrucht afgeworpen. Ik was gebroken, en niet alleen in lichamelijk opzicht: als mijn tante iets tegen me zei, probeerde ik niet eens met haar te praten. Ik luisterde slechts zonder commentaar te geven. Ik stak mijn haar zo streng op als ik op de Koranschool gewend was geweest en droeg een witte salwar kameez alsof ik nooit anders gedaan had, terwijl mijn Oostenrijkse kleren ergens ongebruikt in een koffer zaten. De weerstand tegen mijn tante en tegen mijn ouders, die ik drie maanden daarvoor nog met mijn westerse kleren had willen benadrukken, was verdwenen. Niet dat ik terug wilde naar een traditionele Pakistaanse levensstijl, ik zag gewoon het nut niet meer in van opstandigheid tegen alles en iedereen. Ik wilde niet meer dat ze me sloegen en tegen me schreeuwden, dus conformeerde ik me zo goed en zo kwaad als het ging.

Ik was broodmager. Mijn wangen waren ingevallen en ik had donkere wallen onder mijn ogen, maar dankzij mijn tantes royale kookkunst ging mijn conditie vooruit en nog geen week later was ik min of meer genezen. Maar als ik dacht dat het hoofdstuk 'Koranschool' was afgesloten, zou ik er gauw achter komen hoezeer ik het mis had. Ik was nog niet hersteld, of mijn tante ging op zoek naar een andere school. Ze was er absoluut niet van overtuigd dat mijn religieuze onderricht voltooid was.

We vonden de wahabi-school niet ver van ons huis. Daar lag ook de nadruk op de leringen van Mohammed, maar die school was veel liberaler dan de eerste. De vijfentwintig meisjes in mijn klas waren net zo vroom, maar veel aardiger en ruimdenkender dan mijn vorige klasgenoten. Anders dan op de eerste Koranschool mochten we praten en in de pauze in groepjes bij elkaar staan. Tijdens de les ontsponnen zich zelfs gesprekken met de moellah, wat op de andere Koranschool ondenkbaar was geweest. Soms moesten we zelfs lachen wanneer we op het kleed voor de tafel met de koran knielden. Er werd niet geslagen en er liep geen supervisor met een stok rond. Niemand kreeg ten overstaan van de hele school een lijfstraf omdat ze staand had gedronken, en gelukkig was het sanitair er stukken beter. Na een paar dagen voelde ik me zelfs op mijn gemak omdat het grootste voordeel was dat het geen kostschool was. Salman bracht me elke dag voordat hij zelf naar school ging en haalde me 's avonds weer op.

Uiteindelijk had ik iets wat op een gezin leek, familieleden met wie ik kon praten, al waren het niet mijn ouders, maar mijn tante, nichten en neef. Ik bracht vooral veel tijd door met mijn jongste nichtje Hina en de kinderen van de buren, en langzaam maar zeker verbleekten mijn afschuwelijke herinneringen aan de kostschool.

Ik wilde nog steeds niet in Pakistan zijn en zou veel liever naar Oostenrijk zijn teruggekeerd, maar vergeleken met mijn ervaringen in de Koranschool was het leven bij mijn tante nu draaglijk. Opeens kon ik goed met haar overweg. Ik bad vijf keer per dag en las thuis zelfs wel eens in de Koran, niet om indruk op mijn tante te maken, maar omdat ik er echt belangstelling voor had. Tegenwoordig ben ik nog steeds heel religieus, al geloof ik niet in dezelfde God als toen.

Maar ondanks alles mocht ik nog altijd niet alleen het huis uit. Dat vond ik heel erg, maar toch deed ik geen poging me tegen de strikte regels te verzetten. Ik herinnerde me maar al te goed mijn poging van drie maanden daarvoor, toen ik met mijn nichtje Hina een wandeling door de buurt had gemaakt en door voorbijgangers was lastiggevallen. Dat wilde ik nooit meer meemaken.

Neef Salman deed de boodschappen. Als hij om de paar dagen wegreed op zijn brommer en beladen met spullen thuiskwam, zag ik groen van jaloezie. Ik was al ruim vier maanden in Pakistan en had het grootste deel daarvan in Lahore doorgebracht, maar afgezien van ons huis, de school en de weg daartussen had ik praktisch nog niets gezien.

'Neem me mee als je boodschappen gaat doen. Eén keer maar.' Ik smeekte en soebatte, maar Salman weigerde. 'Maar ik moet bepaalde dingen hebben.'

'Zeg maar wat je nodig hebt, dan koop ik het wel voor je.'

'Toiletbenodigdheden. Je zou niet durven maandverband te kopen.'

'Als het moet koop ik dat ook, maar je gaat beslist niet mee!'

Ik probeerde het herhaaldelijk, maar het bleef vergeefse

moeite. Hij was keihard en zelfs tranen konden hem niet vermurwen.

De dagen verstreken en eindelijk was het 20 november, mijn zeventiende verjaardag. In Oostenrijk had ik me altijd weken van tevoren koortsachtig op mijn verjaardag verheugd. Natuurlijk mocht ik geen verjaarspartijtje geven, maar in plaats daarvan vierde ik het op school met mijn vrienden en vriendinnen, en meestal ging ik met hen in een gestolen uurtje naar het café.

En nu kwam 20 november er weer aan en zat ik alleen in Pakistan. Ik had al in geen eeuwen iets van mijn vrienden en vriendinnen in Oostenrijk gehoord en op de dag zelf belde niemand en werd er niet één kaart bezorgd, omdat niemand mijn adres wist. Alleen mijn ouders belden even. Ze feliciteerden me en klonken heel vriendelijk, waardoor ik de moed vatte om mijn vader te vragen wanneer hij me zou komen halen.

'Ik weet het niet. Ooit.'

Opeens voelde ik me weer verdrietig worden en wilde ik alleen maar in een hoekje wegkruipen. Nadat ik had opgehangen, kwam Salman naar me toe.

'Gefeliciteerd,' zei hij.

'Dank je.'

'Ga je verkleden. We gaan naar de stad om het te vieren. Dat vind je toch leuk?' vroeg hij. 'Maar zorg ervoor dat je helemaal bedekt bent en niemand aankijkt zolang we op stap zijn.'

Dolblij haastte ik me naar de vrouwenkamer om mijn beste salwar kameez aan te trekken.

Salman nam me mee naar Defence Colony, een wijk waarover ik sinds mijn komst naar Pakistan veel had gehoord. Er werd gezegd dat de beau monde van Lahore er woonde, met andere woorden: politici, musici en beroemde sportlieden. En er zouden talloze winkels en restaurants zijn die moeiteloos konden concurreren met alles wat het Westen te bieden had.

Na ongeveer een half uur rijden zag ik dat de wegen breder werden en de omgeving rustiger en schoner was. Er slingerden geen zakken vuilnis op straat rond en het stonk er minder dan in de andere wijken waar we doorheen waren gereden.

Defence Colony was precies wat ik me ervan had voorgesteld. Grote, westerse huizen en overal restaurants en cafés. Ik herkende de namen van talrijke internationale bedrijven, en alle mensen op straat droegen westerse kleren. Salman parkeerde zijn brommer op een pleintje en daar gingen we.

'Welk café nemen we?' vroeg ik. 'O, laten we daarheen gaan. Dat ziet er leuk uit.'

Het café in kwestie was de plaatselijke McDonald's.

'We gaan nergens heen.'

'Maar waarom niet?'

'Omdat het niet hoort.'

'Oké, laten we dan een ommetje maken.'

'Nee, dat kan ook niet.'

Waarom mocht ik niet eens een wandeling met Salman maken?

'Dat kan niet. Stel dat een vriend van me ons ziet. Dat zou een enorme schande voor me zijn omdat we nog niet getrouwd zijn,' vervolgde hij.

Ik was diep teleurgesteld. En woest. Had ik Salman eindelijk zover gekregen om met mij naar buiten te gaan, mocht ik het leven weer alleen van de buitenkant zien.

‘Dan kunnen we net zo goed naar huis teruggaan,’ huilde ik.

En dat was het eind van ons uitstapje.

Thuis hadden we een zekere verstandhouding met elkaar gekregen. Als ik niet op de Koranschool zat, hielp ik mijn tante, of speelde ik met de kinderen van de buren of met mijn nichtje Hina. Wanneer mijn nichtjes op school zaten, bleef ik alleen bij mijn tante, die weinig tegen me zei, maar die me gelukkig met rust liet en me er niet meer van langs gaf. En heel soms bofte ik en had ik het huis voor mij alleen. Op zulke dagen klom ik op het platte dak om naar muziek op mijn walkman te luisteren. Dat waren mijn gelukkigste momenten in Pakistan. Ze staan me nog helder voor de geest, maar anderzijds hád ik ook niet zo veel mooie momenten in Pakistan.

Op een dag zat ik weer op het dak na te denken toen mijn tante het huis in stormde.

‘Waar bent u geweest? Wat is er?’ vroeg ik toen ik zag dat haar gezicht van afschuw was vertrokken.

Mijn tante ging zitten en kon eerst geen woord uitbrengen. Uiteindelijk haalde ik een glas water dat ze in één teug leegdronk.

‘Een meisje in onze wijk heeft de hand aan zichzelf geslagen. Ze heeft zich opgehangen omdat ze was aangerand.’

Mijn tante huilde niet, maar ik zag wel dat de dood van het meisje haar diep had geraakt.

‘Weten ze wie haar heeft aangerand?’ riep ik geschokt. ‘Wat is er met de misdadiger gebeurd?’

‘Hij woont twee straten verderop. Ik ken hem wel.’

‘En heeft de politie hem al gearresteerd?’ Het was een opluchting dat de dader tenminste bekend was en gestraft zou worden.

'Nee, hoe kan dat nou? Hij is een man en het meisje heeft hem verleid. Het was haar eigen schuld.'

Met die woorden liep mijn tante de kamer uit.

Die ervaring vervult me tot op de dag van vandaag met afgrijzen. Er zijn veel boeken over de rol van de vrouw in de islamitische wereld: zowel boeken die zijn bedoeld om westerlingen meer begrip voor de islam bij te brengen als tirades van haat tegen een maatschappij die de westerse culturen niet kunnen begrijpen. Er zijn talloze gruwelverhalen over de onderdrukking van vrouwen, maar je kunt het verschijnsel pas echt begrijpen als je zelf deel hebt uitgemaakt van de situatie.

Toen mijn tante me vertelde over de verkrachting en zelfmoord van dat meisje, begon ook ik dat te begrijpen, en nog beter dan tijdens mijn verblijf op de Koranschool. Een vrouw in Pakistan is van nul en generlei waarde. Dat mag hard klinken, maar dat is precies wat ik op dat moment voelde, en tegenwoordig nog steeds wanneer ik de film van mijn herinneringen weer afdraai. Ik wist dat ik het land moest verlaten zodra ik de kans kreeg. Mijn toekomst lag in Oostenrijk.

In die tijd was het me duidelijk geworden dat ik grote problemen met mijn ouders had. Maar op een afstand van tienduizend kilometer zie je de dingen meestal anders en heb je de neiging ze te romantiseren, en dat is precies wat ik deed. Opeens leken de slaag en eindeloze vernederingen die ik van mijn ouders te verduren had gehad te verbleken bij de waanzin van mijn dagelijks leven in Pakistan. Het klinkt misschien absurd of amper voorstelbaar, maar ik verlangde naar mijn ouders. Ik miste hen. Ik wilde naar huis, ik wilde naar mijn moeder en vader. Ik wilde teruggaan en had geen flauw idee hoe ik dat voor elkaar moest krijgen. Ik sprak er een paar keer met mijn tante over, maar die gaf alleen maar ontwijkende antwoorden. Sinds mijn verjaardag had ik niets meer van mijn ouders gehoord. Ik had geen idee wat er van mij moest worden.

Hoe langer ik onder één dak woonde met Salman, hoe duidelijker het werd dat ik nooit met hem zou trouwen. Het is waar, voor een Pakistaanse man was hij wel aardig. Objectief gesproken kon je zelfs zeggen dat hij aantrekkelijk was: hij was minstens een hoofd groter dan ik, slank en fit. Zijn dikke zwarte haar en borstelige wenkbrauwen gaven hem een enigszins mysterieus air. Maar hij was ontoegankelijk en laatdunkend; met andere woorden, op-en-top een Pakistaan. Hij was zich ervan bewust dat hij de belangrijkste persoon in huis was en alles kon krijgen wat hij wilde. En hij oefende zijn macht uit over zijn moeder, zijn zusters en over mij.

Hij was verliefd op me, dat was wel duidelijk. Ik beviel hem en hij wist zeker dat we ooit zouden trouwen. Dat voedde duidelijk zijn verbeelding, zoals ik steeds vaker uit zijn blikken kon afleiden. Zodra hij zich onbespied waande en naar me keek, zag ik een hoopvolle glinstering in zijn ogen.

Ik weet niet of Salman toen al ervaring met vrouwen had. Hij was zeventien en als hij in Oostenrijk zou zijn opgegroeid, mocht je dat wel aannemen. Maar hier in Pakistan?

Sinds mijn verjaardag had hij herhaaldelijk geprobeerd met mij alleen te zijn, 's avonds incluis. Ik daarentegen deed wat ik kon om zulke situaties te vermijden, omdat ik niet wist hoe ik zou reageren. Ik moest hem niet en daarmee uit.

En ik wilde mijn tante niet bij zo'n toestand betrekken, omdat ik wel kon raden wat zij zou zeggen. In Pakistan mogen jonge mensen voor het huwelijk geen enkele vorm van lichamelijk contact hebben. Zelfs een kus is verboden. Als zoiets tussen Salman en mij zou gebeuren, zou dat een schande voor de hele familie zijn, en je hoefde maar weinig verbeeldingskracht te hebben om te bedenken wie mijn tante de schuld zou geven.

Dat zei ik letterlijk tegen Salman, maar dat leek hem niet in het minst te deren. Ik probeerde hem overal te ontlopen. Maar op een nacht, twee weken na mijn verjaardag, gebeurde het toch.

Het was lang na middernacht en ik sliep al een tijdje toen ik opeens voelde dat ik werd aangeraakt. Het was Salman, die de kamer in was geslopen. Ik ging rechtop zitten en keek om me heen. Links lagen mijn nichtjes Hina en Sana diep in slaap. Ik draaide me om. Ik hoorde ook het zachte, eentonige gesnurk uit de hoek waar mijn tante haar matras had uitgerold. Ik keek Salman aan, die zijn vinger op zijn lippen legde en een teken gaf dat ik mee moest gaan, de kamer uit.

Ik zat in een moeilijk parket. Aan de ene kant wilde ik niet meegaan omdat ik me wel kon voorstellen wat er dan zou gebeuren. Aan de andere kant wilde ik geen alarm slaan omdat ik de consequenties niet kon overzien. Maar hij wilde niet weggaan, dus uiteindelijk gaf ik het op en ging ik met hem mee.

We slopen naar zijn kamer. Afgezien van de gedempte geluiden van de straat die door het raam naar binnen kwamen, was het doodstil. Het was nog donker in huis, maar de maan scheen de kamer in zodat ik Salman goed kon zien. Hij droeg een witte broek en zijn bovenlichaam was ontbloot.

We stonden bij zijn bed. Hij stak zijn hand uit en voelde aan mijn haar. Daarna streelde hij mijn wang en ging langzaam met zijn wijsvinger over mijn lippen. Ik voelde me belabberd, was vervuld van afkeer en misselijk. Salman trok me naar zich toe, sloot zijn ogen en boog zich naar me over. Ik voelde zijn tong tegen mijn mond en ik perste mijn lippen op elkaar zonder mijn gezicht weg te draaien. Salman deed zijn ogen open en keek me ijzig aan.

Opeens haatte ik hem.

Langzaam maakte hij de strikken van mijn nachtjapon los en hij schoof de stof opzij om naar mijn borsten te kijken. Daarna begon hij ze te strelen en te kussen. Ik ging bijna over mijn nek. Ik wilde weggaan, maar mijn benen weigerden dienst. Daarna trok hij zijn broek naar beneden en begon te masturberen. Het was het vernederendste wat ik ooit had ondergaan. Ik bevond me in het hart van Pakistan in het huis van mijn familie. Aan mijn rechterkant sliep mijn oom, links mijn tante, en ik stond met een geopend nachtgewaad in de kamer van mijn neef, die zich kreunend aftrok.

Ik wilde weghollen en een punt achter die hele toestand zetten. Ik walgde zo dat ik wilde overgeven, maar dat lukte niet. Ik bleef doodstil naar hem staan kijken en zag hoe hij naar mijn borsten staarde. Ik minachtte hem. Onbewogen wachtte ik tot hij klaar was, en zonder hem nog een blik waardig te keuren, maakte ik rechtsomkeert om weer naar bed te gaan. Ik kon niet eens huilen.

De volgende dag zei ik geen woord tegen Salman, maar dat leek hem niet te deren. Hij deed alsof er niets was gebeurd.

In het vervolg gebeurde het bijna elke nacht. Zodra de anderen sliepen, sloop Salman onze kamer in om mij te halen.

Ik probeerde te laten merken dat het me koud liet, zodat hij me na een paar vergeefse pogingen tenminste niet meer kuste. In plaats daarvan keek ik uitdrukkingsloos toe wanneer hij mijn blouse opende en wachtte ik tot hij klaar was. Daarna veegde ik de sporen van mijn lichaam en ging de kamer uit zonder hem nog een keer aan te kijken.

Maar vanbinnen kookte ik van woede. Ik was woedend en verdrietig, maar deed er niets tegen. Ik was vervuld van weerzin. Zozeer zelfs dat ik niet eens naar mezelf in de spiegel kon kijken. Ik vond het vreselijk om een vrouw te zijn, vreselijk om in dit lichaam te wonen.

Overdag deed ik alsof er niets aan de hand was. Ik was bang, niet zozeer voor Salman als wel voor mijn tante. Als ik over haar zoon zou klagen, zou ze mij ervoor verantwoordelijk houden en volhouden dat ik hem had verleid. Had ze dat niet over het meisje gezegd dat verkracht was en zelfmoord had gepleegd? Ze had een vreemde de hand boven het hoofd gehouden en een meisje dat ze niet kende alle schuld in de schoenen geschoven, en het was duidelijk hoe ze zou reageren als het om haar eigen zoon zou gaan.

Ik wist al dat ik in de familie toch al niet hoog in aanzien stond. Boven aan de familiehiërarchie stond Salman, zoon en erfgenaam. Daarna kwam zijn vader, die niets in te brengen had, maar voor het geld zorgde, al was het maar een pensioentje van het leger. Daarna kwam mijn tante, vervolgens kwamen mijn nichtjes en tot slot kwam ik. Die pikorde kwam nooit openlijk ter sprake, maar was bij elke gelegenheid duidelijk te merken: bij het eten, slapen of als er iets in gezinsverband besproken moest worden. Mijn mening deed niet ter zake en daarom was er geen reden om naar mij te luisteren als ik iets te zeggen had. Hetzelfde gold voor mijn nichtjes.

Bij de buren, die hun kinderen om de haverklap mishandelden, was het nog erger. Elke dag werd er geschreeuwd. Op een keer gilden de meisjes om een uur of tien 's avonds zo hard dat ik naar mijn tante ging.

'Wie is dat? Wat is daar aan de hand?' vroeg ik.

'Dat zijn Yasmins dochters. Wen er maar aan. De meisjes worden vaak geslagen, nu eens door hun moeder, dan weer door hun vader.'

Voor mijn tante was het de gewoonste zaak van de wereld.

Op een dag zat ik rond het middaguur met mijn tante in de huiskamer toen ik opeens iemand hoorde roepen: 'In naam van Allah, help!' Mijn tante en ik gingen naar buiten en zagen een oude vrouw voor het hek liggen. Ze was blind en haar kleren stonden stijf van het vuil. Alle kracht had haar verlaten. We gingen naar haar toe en droegen haar samen met een buurvrouw naar binnen, waar we haar een glas koud water gaven en chai voor haar maakten.

Toen ze zich wat beter voelde, vertelde ze haar verhaal. Zoals we al begrepen hadden, was ze een bedelaar. Haar twee zoons hadden haar mishandeld en ze kreeg voedsel noch kleding. Ik had vreselijk met haar te doen. We gaven haar een nieuwe salwar kameez, iets te eten en brachten haar naar de deur.

'Allah zegene u,' zei ze tegen me en tikkend met haar stok liep ze weer de straat op.

'Hebt u niet met haar te doen?' vroeg ik mijn tante, die amper aangedaan leek door de hele toestand.

'Nee,' was alles wat ze zei.

Sinds het mislukte uitstapje naar Defence Colony op mijn verjaardag wist ik waar en hoe de Pakistaanse elite leefde. Die mensen woonden in schitterende wijken met prachtige huizen en hadden alles wat Europeanen ook hadden, maar de meerderheid van de Pakistanen is arm. Heel lang had ik geen idee hoeveel mensen er in sloppenwijken en achterbuurten woonden en tot die dag had ik in Lahore nog geen bedelaar op straat gezien. We woonden in een doorsneewoonwijk en de bedelaars wisten maar al te goed dat ze van eenvoudige Pakistanen geen medelijden te verwachten hadden, en daarom kwamen ze niet naar onze wijk.

Er waren des te meer straatventers. Op de binnenplaats hoorde ik hen de hele dag luidkeels hun waar aanprijzen. Ze verkochten van alles: groenten, fruit, chapati's, keukengerei en zoetigheid. Je hoorde hen al van verre aankomen wanneer ze hun wagens door de straat trokken, grote karren die dreigden te bezwijken onder hun last. De eersten kwamen al vlak na zonsopgang en de laatsten verdwenen na zonsondergang. Ik was vooral nieuwsgierig naar een van hen. Wekenlang had ik zijn schelle, bijna kinderlijke stem popcorn horen aanprijzen voor twee roepies, ongeveer vijf cent. Ik was heel nieuwsgierig of de verkoper echt een kind was zoals die stem deed vermoeden.

Op een avond was ik op de binnenplaats toen ik die stem weer hoorde. Salman was naar een vriend, mijn oom was in de moskee en de rest zat in de huiskamer. Ik had tien roepies, maar durfde ik wel de straat op? Als mijn tante erachter kwam, zouden de rapen gaar zijn.

Ik sloop naar buiten en trok mijn sluier voor mijn gezicht. Behoedzaam keek ik naar links en rechts om te zien of een van de buren op straat was, maar die was verlaten.

'Ik heb de goedkoopste popcorn van Lahore, mevrouw.' Het was inderdaad een jongetje en hij zag er deerniswekkend uit. Hij droeg een rafelige, smerige salwar kameez en had niet eens schoenen aan zijn voeten.

'Hoe oud ben jij?' vroeg ik toen ik dichterbij kwam.

'Negen,' zei hij onbevreesd.

'Hoe lang werk je al?'

'Elke dag, mevrouw. Mijn familie is heel arm.' Hij gaf me een zak verse popcorn, die net was gemaakt in een apparaat op een grote, zware kar.

'Hoe rijdt dit ding?' vroeg ik.

'Hij rijdt niet uit zichzelf. Ik moet hem trekken.'

Ik gaf hem mijn biljet van tien roepies. Het jongetje wilde me wisselgeld geven, maar dat nam ik niet aan.

'*Shukria*,' straalde hij. Bedankt.

Hij kon amper geloven dat ik hem het geld had geschonken.

'Ik hoop dat we elkaar nog een keer kunnen zien! *Khuda aapko hamscha khusch rakhe! Khuda Hafiz.* Moge God je voor eeuwig gelukkig maken. Vaarwel.'

Sindsdien hoorde ik zijn stem elke dag. Natuurlijk kwam hij langs in de hoop weer zo'n gulle fooi te krijgen, maar ik kon niet nog een keer naar buiten gaan, omdat ik constant in de gaten werd gehouden. Ik wist Salman zover te krijgen popcorn voor me te kopen zodat het jochie tenminste twee roepies zou verdienen, al vond ik popcorn in die tijd helemaal niet lekker.

Het was half december en ik was al meer dan vijf maanden in Pakistan. Ik hoorde maar zelden iets van mijn ouders, want wanneer ze belden, spraken ze bijna alleen met mijn tante. Ik dacht nog steeds obsessief aan thuis en wilde zo gauw mogelijk terug, maar ik huilde tenminste niet meer elke nacht zoals toen mijn tante me voor het eerst weer naar huis had gehaald. Tegen mijn eigen verwachting in was ik min of meer gesetteld en had ik me enigszins met mijn lot verzoend. De wahabi-Koranschool was het laatste waar ik altijd naar had verlangd, maar ik kon ermee leven.

Net als vroeger was ik een vrome moslima en bad ik vijf keer per dag. Dat was ook de reden dat ik me op de Koranschool op mijn gemak voelde, omdat ik er elke dag aan mijn geloof kon denken. In tegenstelling tot de andere meisjes in mijn klas, stelde ik vaak vragen aan de moellah als ik iets niet begreep. Ik wilde wéten. Ik wilde Mohammeds woorden begrijpen en ik had de indruk dat de moellah zeer ingenomen was met die instelling.

'Heeft het meisje uit Europa nog iets te vragen vandaag?' schertste hij soms.

En meestal had ik dat ook.

'Waarom begint bijna elke soera in de Koran met een vreemd woord?' vroeg ik dan. Of: 'Waarom zijn vrouwen en mannen niet gelijk?'

Dan legde de moellah dat uit, althans dat probeerde hij.

'Het staat in soera al Nisa 4.34, mijn dochter. "Mannen zijn voogden over de vrouwen omdat Allah de enen boven de anderen heeft doen uitmunten en omdat zij van hun rijkdommen besteden. [...] En degenen, van wie gij ongehoorzaamheid vreest, wijst haar terecht, laat haar in haar bedden alleen en tuchtigt haar."'

En dat zou de Profeet gezegd hebben? Eerlijk gezegd geloofde ik dat niet, maar ik wilde er niet langer bij stilstaan. Blijkbaar wilde Allah het zo, dus moest ik er maar niet aan twijfelen. En misschien zouden wij vrouwen ervoor worden beloond in het paradijs...

Vanbinnen was ik niet veranderd, maar ik had wel mijn uiterlijke verzet opgegeven. Ik was tevreden op mijn nieuwe school en dat ik elke dag in de Koran kon lezen miste blijkbaar zijn uitwerking niet. Ik was er trots op moslima te zijn en had het gevoel dat mijn godsdienst verreweg superieur was aan andere. Maar dat was alleen maar de religieuze kant van de zaak. Ik wilde me nog steeds niet de rol van Pakistaanse huisvrouw laten aanmeten. Er moest een manier zijn om als vrome moslim met het westerse systeem van normen en waarden te leven. Op basis van de ervaring die ik nu heb, denk ik daar anders over, maar destijds klampte ik me wanhopig aan die laatste strohalm vast. Bovendien was ik er ook van overtuigd dat ik vroeg of laat naar Oostenrijk zou terugkeren.

Ik had het gevoel dat ik me maar het best zo onopvallend mogelijk kon gedragen, dus paste ik wel op voor conflicten met mijn tante. Ik gedroeg me net als mijn nichtjes, die ik inmiddels 'zusjes' noemde, droeg witte kleding en stak mijn haar fatsoenlijk op: ik speelde het brave Pakistaanse meisje. Misschien zou dat mijn terugreis bespoedigen; althans ik had het gevoel dat het een middel was om mijn doel te bereiken.

Ook mijn tante erkende mijn duidelijke transformatie. In vergelijking met voorheen vond ze geen constante aanleiding voor ergernis meer en wanneer ik met haar op straat was, hoefde ze me niet meer te berispen voor mijn gedrag of mijn manier van kleden.

'Ik ben trots op je,' zei mijn tante wel eens. 'Je wordt al echt een Pakistaans meisje.'

'Maar dat ben ik al,' antwoordde ik telkens met een glimlach.

Er gingen een paar weken voorbij en toen arriveerde mijn grootvader uit Dhedar. Hij zei dat hij een vergadering in Lahore had, maar ik wist dat hij alleen maar wilde zien hoe ik me had ontwikkeld. Ik gedroeg me zo onderdanig mogelijk, stelde niet één vraag en zei alleen iets wanneer me iets werd gevraagd. Toen hij de volgende dag weer was vertrokken, had ik het gevoel dat ik voor het examen was geslaagd.

In aanwezigheid van mijn tante probeerde ik extra aardig tegen neef Salman te zijn. Ik babbelde met hem en bracht hem ongevraagd water of chai. Ik liet niet blijken dat hij me bijna elke nacht meenam naar zijn kamer. En zoals ik had voorzien, vatte mijn tante mijn veranderde houding tegenover Salman positief op.

'Ben je nu zover dat je met hem wilt trouwen?' vroeg ze op een keer.

'Ja,' antwoordde ik met mijn blik naar de grond, zoals het hoort in Pakistan.

Een paar dagen voor Kerstmis belde mijn moeder weer met mijn tante. Ze spraken een poosje met elkaar voordat mijn tante me eindelijk de hoorn gaf.

'Ik hoor dat je veranderd bent,' zei mijn moeder.

Ze klonk ongewoon aardig.

'Ja,' zei ik. 'Ik doe mijn best.'

'Over een paar dagen zal er een engel voor je komen,' vervolgde ze.

Ik begreep niet goed wat ze bedoelde. Over een paar dagen zou het Kerstmis zijn, maar voor mijn moeder had dat feest geen betekenis, dus kon ze het niet over de komst van een kerstcadeau hebben. Zou mijn grootvader met mijn nichtjes op bezoek komen? Kreeg ik een brief uit Oostenrijk? Van mijn ouders, of van mijn schoolvriendinnen? Ik was wel opgewonden, maar probeerde niet al te blij te klinken. Fatsoenlijke Pakistaanse dochters geven niet al te openlijk uiting aan hun blijdschap.

'Als Allah het wil,' zei ik nederig.

De volgende paar dagen was ik zo opgewonden dat ik 's nachts bijna geen oog dichtdeed, maar ik mocht niet het geringste risico nemen mezelf bloot te geven door daar iets van te laten blijken. In het geheim hoopte ik natuurlijk dat mijn ouders me zouden komen halen, al verbood ik mezelf daar lang bij stil te staan. Stel dat ze alleen maar op bezoek zouden komen en vervolgens weer zonder mij zouden teruggaan? Ik zou het niet kunnen verdragen hen weer naar het vliegveld te brengen om daarna naar Salman terug te keren.

Twee dagen voor Kerstmis werd het me allemaal onthuld.

'Vandaag komt er bezoek voor je,' zei mijn tante 's morgens.

'Wie is het?' vroeg ik.

'Dat zul je wel zien.'

Zouden het echt mijn ouders zijn? Dat kon toch niet? Maar toen mijn oom de auto van de buren leende en wegreed met Salman, kreeg ik onwillekeurig hoop. Even na twaalf uur hoorde ik de auto op de oprijlaan. Ik holde mijn kamer uit, rukte het hek open en wierp me in mijn vaders armen. Ik wilde hem niet meer loslaten. Hij was gekomen en zou me hier niet meer alleen achterlaten.

'Ik ben zo blij om u te zien,' zei ik.

'Ik ook om jou weer te zien,' zei hij. Hij deed een stap achteruit om me te bekijken.

‘Ik zie *nur* op je gezicht,’ lachte hij.

‘Nur’ is een Pakistaans woord voor ‘innerlijke rust’ en ‘evenwicht’.

We gingen naar binnen en mijn tante vertelde mijn vader hoezeer ik veranderd was. Dat ik bad, dat ik gelukkig was op de Koranschool en dat ik haar hielp in het huishouden. Mijn vader leek heel trots op me en was blij. Ik was nog blijer. Nu komt alles goed, dacht ik.

‘Ben je nu zover om met Salman te trouwen?’ vroeg hij met een ernstig gezicht.

‘Als u dat wilt,’ antwoordde ik.

Hij knuffelde me en er verscheen een brede glimlach op mijn tantes gezicht.

Daarna ging alles heel snel omdat mijn vader maar weinig tijd had. Op 1 januari zou hij terugvliegen en deze keer had hij ook een ticket voor mij meegenomen.

Er was niet genoeg tijd voor een fatsoenlijke bruiloft, omdat onze familie in Dhedar en mijn moeder en broers en zus uit Oostenrijk niet zo snel over konden vliegen, dus besloten mijn vader en tante dat Salman en ik ons op zijn minst moesten verloven. Daarna zou ik met mijn vader teruggaan naar Oostenrijk, zodat ik mijn school kon afmaken. De komende jaren zouden we op een goed moment gaan trouwen. Ik was in de wolken. Mijn kwelling zou heel gauw achter de rug zijn.

De volgende dagen kwam er een handvol familieleden: een van mijn tantes, een oom, drie nichtjes uit Dhedar en natuurlijk mijn oom, de muezzin, die de verlovingsplechtigheid zou leiden.

Die was op 31 december. Die ochtend hielpen mijn tante en nichtjes me met aankleden. Ik droeg een rode salwar kameez, die mijn tante speciaal voor de gelegenheid had genaaid, en zwarte schoenen. Daarna reden we naar een schoonheidssalon die zo klein was dat er geen ruimte was voor iemand anders toen mijn tante, twee nichtjes en ik binnen waren. Ik ging zitten en de schoonheidsspecialiste ging aan het werk met mijn make-up. Ze deed haar best een Pakistaanse schoonheid van me te maken, en dat wilde zeggen... dat ik er niet uitzag. Ze bracht een dikke laag poeder aan zodat mijn huid lichter zou lijken, wat de Pakistanen het toppunt van schoonheid vinden. Daarna zette ze mijn ogen aan met zwarte eyeliner en pleisterde ze mijn lippen met roze lipstick. Toen ze klaar was, zag ik eruit als een pop van Tell Sell.

'Perfect,' straalde mijn tante verrukt, terwijl ik niets liever zou doen dan naar de badkamer hollen om mijn gezicht te wassen.

Toen we weer thuis waren, bleken zich daar niet alleen onze familie maar ook de buren te hebben verzameld. Alle vrouwen uit de buurt hadden zo veel gekookt dat de tafels kreunden onder het gewicht van de Pakistaanse specialiteiten: grote schalen basmatirijst en onvoorstelbare hoeveelheden kipcurry, die mijn tante alleen op feestdagen klaarmaakte. Een andere tafel lag vol met *paratha*, een heerlijk soort plat brood dat alleen voor speciale gelegenheden wordt gebakken. Voor het dessert waren er zoete rijst en *barfis*, een Pakistaanse lekkernij die van melk en suiker wordt gemaakt.

Al mijn nichtjes dromden om me heen en wilden constant weten hoe het met me ging.

'Geweldig, ik ben heel gelukkig,' zei ik beleefd.

Even na het middaguur moest ik naar de huiskamer komen. Net als een half jaar daarvoor toen ik had geweigerd met Salman te trouwen, had de familieraad weer op de bank plaatsgenomen: mijn vader, oom Jasin, oom Asghar, mijn moeders vader en natuurlijk mijn grootvader van vaderskant in het midden. Toen ik binnenkwam, stonden ze als één man op. Salman was nergens te bekennen.

Mijn grootvader reciteerde een paar Koranverzen, waarvan ik geen woord verstond. De hele plechtigheid duurde maar een paar minuten en toen mocht ik weer gaan. Ik had niets gezegd, niets getekend en niets gedaan. Was dat nu mijn verloving?

Blijkbaar, want na mij werd Salman naar de huiskamer ontboden, waar hij dezelfde procedure onderging. Uiteindelijk kwam mijn grootvader naar buiten en zei: 'Nu zijn jullie verloofd.'

Terugkijkend stelde de hele ceremonie niet veel voor. Natuurlijk was het maar een verloving en geen bruiloft. Dan zou er muziek zijn geweest, zou de bruid met een auto naar haar bruidegom worden gebracht en zouden de feestelijkheden twee dagen hebben geduurd. Ik wist van tevoren dat een verloving veel minder spectaculair zou zijn, maar zo eenvoudig? Geen geloften, zoals ik op de tv had gezien, geen ringen en geen optreden voor de gasten samen met Salman. In Oostenrijk duurde het langer om een paspoort te krijgen dan je te verloven in Lahore. Dat vond ik merkwaardig. Aan de ene kant was ik heimelijk blij, omdat ik het gevoel had dat de plechtigheid slechts een formaliteit was om de familie gerust te stellen en het voor mijn vader eenvoudiger zou zijn om mij zonder gezichtsverlies mee terug naar Oostenrijk te nemen.

De buren en familieleden gingen eten en brachten de rest

van de middag pratend door, en ik was het grootste deel van de tijd met mijn nichtjes en de kinderen van de buren in de huiskamer. Af en toe kwam Salman een kijkje nemen. Hij was feestelijk gekleed en straalde. Het ontging me niet dat hij elke gelegenheid aangreep om met mij alleen te zijn, terwijl ik er alles aan deed om hem te ontlopen.

Het grootste probleem voor mijn vertrek kwam 's nachts. Na onze verloving hadden Salman en ik bij elkaar kunnen slapen. Na de gebeurtenissen van de voorgaande weken was het duidelijk dat Salman vannacht een stapje verder zou gaan. Die avond liep ik hem in de voorkamer tegen het lijf.

'Vannacht kom ik je halen en dan wil ik met je slapen,' zei hij.

'Als dat goed is,' antwoordde ik.

Toen het eindelijk bedtijd was, kwamen mijn nichtjes uit Dhedar me zonder het te weten te hulp.

'Wij slapen vannacht bij Sabatina, omdat ze morgen weggaat,' riepen ze, en ik greep de gelegenheid met beide handen aan om met hen mee te gaan naar de vrouwenkamer.

Kennelijk durfde Salman met zo veel vrouwelijke gasten niet de kamer in te sluipen, en de nacht verstreek zonder incidenten. Zelf deed ik amper een oog dicht. Ik ging weer naar Oostenrijk en zou al mijn vrienden en vriendinnen weer zien! Morgen zou ik naar het vliegveld gaan en dan kon me niets meer gebeuren. Eindelijk durfde ik te geloven dat mijn Pakistaanse nachtmerrie achter de rug was.

De volgende morgen vertrokken we echt; na ruim een half jaar in Pakistan zou mijn vader me terugbrengen naar Oostenrijk. Ik kon amper wachten om Linz weer te zien. En ik hunkerde er evenzeer naar om weg te zijn van Salman, van mijn tante en het huis in Lahore. Salman en mijn oom brachten ons naar het vliegveld. We hadden maar weinig tijd. Ik checkte mijn groene sporttas in en daarna gingen we door de paspoortcontrole. Ik omhelsde mijn oom en daarna stond Salman voor mijn neus. Hij bekeek me van top tot teen zonder aanstalten te maken me te omhelzen.

'Je hebt maar gedaan alsof, hè, Sabatina?' De woorden kwamen er met moeite uit.

Ik draaide me om en zonder iets te zeggen ging ik door de paspoortcontrole.

6

Op 2 januari 2000 landden we omstreeks het middaguur op het vliegveld Schwechat van Wenen. De vlucht had met overstappen in Dubai en Londen ruim een dag geduurd, maar ik was helemaal niet moe. Pakistan lag achter me. Straks zou ik mijn vrienden en vriendinnen weer zien. Ik was thuis.

De hele vlucht had ik naast mijn vader gezeten en me afgevraagd hoe ik me tegenover hem moest gedragen. Enerzijds was hij degene geweest die me die hel van een half jaar in Pakistan had aangedaan. Hij had me bij familie achtergelaten, ervoor gezorgd dat ik vastzat op een Koranschool en me tegen mijn zin gedwongen tot een huwelijk met mijn neef. Anderzijds had hij me zojuist ook uit die hel verlost. Moest ik hem haten of van hem houden omdat hij me had bevrijd?

Het ontging me niet dat ook hij emotioneel in tweestrijd was. Zijn steelse warme blikken maakten me duidelijk dat hij blij was dat ik weer bij hem was, en telkens wanneer ik over Lahore of de Koranschool wilde beginnen, ging hij abrupt over iets anders praten. Had hij soms last van schuldgevoel? Tegelijkertijd leek hij niet goed uit de voeten te kunnen met mijn kennelijke transformatie van lastige, tegendraadse tiener die met veel vuur zijn normen en waarden had aangevochten, tot een schijnbaar keurig Pakistaans meisje dat zich wist te gedragen. Was het een illusie?

Mijn wonderbaarlijke transformatie was inderdaad maar voor een deel waarachtig en zijn angst was niet helemaal ongegrond. Want hoewel ik in de tijd dat ik op de Koranschool had gezeten volwassener en bedachtzamer was geworden, was ik er meer dan ooit van overtuigd dat ik nooit met Salman zou trouwen. En het was me net zo duidelijk dat ik door die houding ernstig in aanvaring zou komen met mijn familie, omdat ik nu officieel Salmans verloofde was. Hoewel ik door de verloving tijd had gewonnen waardoor ik Pakistan kon verlaten, was de beproeving nog lang niet voorbij. De dag zou komen dat mijn familie erop zou staan dat op onze verloving een bruiloft zou volgen.

Mijn moeder zag ik voor het eerst weer in de aankomsthal. Ze was met een Indiase vriendin en haar man gekomen om ons af te halen omdat ze zelf geen rijbewijs had. Het weerzien met haar bezorgde me dezelfde ambivalente gevoelens als dat met mijn vader in Lahore. Hoewel ik niet was vergeten wat er de voorgaande jaren tussen ons was voorgevallen, was ik toch blij en opgelucht om haar eindelijk weer te zien. Na de omhelzing duwde ze me van zich af om me kritisch te bekijken. Blijkbaar was ze tevreden met wat ze zag.

We gingen naar huis in Linz, waar niets bleek te zijn veranderd: ons huis, noch de tweedehandsautodealer naast ons, noch Sylvia's kapsalon op de hoek. In de etalage van de fotowinkel op de begane grond van ons gebouw hingen nog steeds dezelfde portretten als bij mijn vertrek, en ik zag de zilverkleurige VW Passat van de buren nog op dezelfde plaats staan, vlak naast de oude rode Mercedes, die niet veel jonger was dan zijn eigenaar. Voor mijn gevoel was ik een eeuwigheid weggeweest, maar in werkelijkheid waren er slechts zes maanden verstreken.

Toen we op de zevende etage uit de lift stapten, ging de voordeur van onze flat open en kwamen mijn broers en zus naar buiten. Mijn broers deden net als anders, met andere woorden achteloos, alsof het hun niets kon schelen dat ik terug was, maar ik kon wel zien dat ze heel blij waren. En toen zag ik mijn zus, die enorm was veranderd. Bij het afscheid in Lahore had ze bittere tranen geweend en me zo stevig vastgeklemd dat mijn moeder haar van me af moest trekken, maar nu stond ze gewoon in de deuropening en toonde ze geen spoor van emotie.

'Hallo,' was het enige wat ze zei voordat ze naar onze kamer verdween.

We gingen naar de keuken en daar kreeg ik voor het eerst de kans om tot in de details over mijn tijd in Pakistan te vertellen. In tegenstelling tot mijn vader vroeg mijn moeder me het hemd van het lijf en luisterde ze geduldig naar mijn verhalen over de Koranscholen, mijn nichtjes, mijn tante en over Salman. En ze vroeg door wanneer ze het gevoel kreeg dat ik iets wegliet, wat ook zo was. Ik wilde vooral niet praten over de manier waarop Salman me had vernederd, omdat ze anders kon gaan vermoeden dat mijn transformatie niet echt was. Blijkbaar vond ze mijn relaas overtuigend.

'Je hebt nur op je gezicht,' glimlachte ze, toen ik uitgesproken was.

Dat was precies wat mijn vader een paar dagen daarvoor in Lahore had gezegd. Ze was ervan overtuigd dat het een goed idee was geweest om me een half jaar in Pakistan te laten, 'voor mijn opvoeding' zoals ze het stelde.

De volgende dagen bracht ik geheel binnenshuis door. Ik bedwong me zelfs en ging niet naar beneden om Celestine te begroeten. In plaats daarvan week ik niet van mijn moeders zijde. Al was ik nog zo nieuwsgierig en wilde ik dolgraag weten hoe het met mijn vrienden en vriendinnen ging, ik wilde haar het gevoel geven dat ik veranderd was. Dus maakte ik schoon, streek de was, kookte en luisterde zelfs niet naar muziek, iets wat ik ooit uren achtereen had gedaan. Dat kostte me veel moeite, omdat al mijn favoriete cd's en cassettes op mijn kamer lagen.

Maar bovenal nam ik bidden serieus. Dit was een duidelijk gevolg van de Koranschool. Ik was weliswaar al vroom geweest, maar nu was ik een nog vromere moslima. De islam was het enige ware geloof en ik was er trots op een moslima te zijn. Ik zegde alle vijf de gebeden die van een praktiserend moslim worden verlangd en elke dag las ik een aantal soera's, zoals me in Pakistan was geleerd. Tegenwoordig weet ik dat ik dat waarschijnlijk niet uit overtuiging deed, maar bij wijze van zelfbescherming. Hoe vreemd het ook mag klinken, de Koran was destijds van levensbelang. Hoe benauwder mijn familiesituatie werd, hoe belangrijker de Koran werd. Het lezen van de soera's en nadenken over de woorden van de Profeet gaven me een houvast. Het leidde me af en gaf me het gevoel dat er in mijn leven tenminste één constante was, terwijl alles om me heen op losse schroeven stond. Ik neem aan dat ik hetzelfde ondervond als veel andere mensen die het geloof in een crisissituatie ontdekken en merken dat het hun houvast geeft. Maar er was één wezenlijk verschil: andere mensen die hun geloof ontdekken, doen dat doorgaans om een oplossing te zoeken voor hun problemen en antwoorden op hun vragen. Maar zover was ik nog niet. Ik verwachtte geen antwoorden. Ik zocht alleen houvast, iets waaraan ik me kon vastklampen. Voorlopig was dat voldoende.

Een week later was de schoolvakantie van mijn broers en zus voorbij. Omdat ik naar school terug wilde, belde mijn vader de rector om te vragen of ik weer naar mijn vroegere klas kon. Maar zo eenvoudig was het niet. Het grootste deel van het semester was al voorbij. De rector stelde voor dat ik naar de zesde van het gymnasium zou gaan, maar omdat ik al twee jaar had gemist door de verhuizing naar Oostenrijk en één jaar was blijven zitten, kon er geen sprake zijn van die oplossing.

'Ga dan maar werken,' stelde mijn moeder voor.

Maar dat was ook geen optie, want wie garandeerde me dat ik niet naar Pakistan zou worden teruggestuurd om met Salman te trouwen als ik niet naar school ging?

'Vader, u heeft me in Pakistan beloofd dat ik weer naar school mocht. Ik heb alles gedaan wat u wilde. Ik ben zelfs met Salman verloofd. Laat me alstublieft mijn school afmaken.'

Hij stemde in en zocht een school voor me. Een week later begon ik met de avondschool op het Spittelwiese-gymnasium in het centrum van Linz. De lessen waren elke avond van zes tot tien, wat mijn ouders aanvankelijk niet zinde natuurlijk, omdat het betekende dat ik pas laat thuis zou komen.

Maar toen ik mijn vader eraan herinnerde dat hij altijd had gevonden dat ik behoorlijk onderwijs moest krijgen, zwichtte hij uiteindelijk. Misschien waren mijn ouders nu milder gestemd omdat ik met Salman verloofd was en die status serieus leek te nemen. Ze waren ervan overtuigd dat ik onder geen beding iets met een andere jongen zou beginnen.

Ik genoot echt van de avondschool. Hoewel ik door mijn verblijf in Pakistan weer een beetje moest wennen, ging het leren me goed af, de docenten waren aardig en ik kon het goed met mijn medeleerlingen vinden, van wie de meesten veel ouder waren dan ik en al een baan hadden.

Ik was blij dat ik eindelijk weer in Linz was. Om nieuwe moeilijkheden met mijn ouders te voorkomen, had ik alle contact met mijn vroegere klasgenoten gemeden, maar het was slechts een kwestie van tijd voor ik Christian tegen het lijf liep, een van de jongens van onze oude groep, toevallig voor de avondschool.

'Sabatina! wat doe jij hier? En waarom zie je er zo uit?' riep hij toen hij me in mijn salwar kameez uit de school op zich af zag komen.

'Ik ben in Pakistan geweest, maar dat is een lang verhaal. En ik kan jou wel hetzelfde vragen.'

De laatste keer dat ik Christian had gezien, was negen maanden daarvoor, en toen was hij een skater in een wit T-shirt, op gympen, met een honkbalpetje op zijn hoofd en een broek met een kruis dat net boven de knie hing. Elke dag had zijn gemillimeterde haar een andere kleur van de regenboog en zijn handelsmerk was een walkman waaruit je op tien meter afstand de bassen van de heavy metal hoorde dreunen. Nu droeg Christian een smetteloze spijkerbroek, een keurige trui en een jack dat eruitzag alsof het bij een postorderbedrijf was gekocht. Zijn haar was nog steeds kort, maar nu was het netjes gekamd, en hij droeg een bril. Ik had hem bijna niet herkend.

'Ik zou zeggen dat jij veel meer veranderd bent dan ik,' zei ik.

'Ja, misschien wel,' antwoordde hij. 'Er is een heleboel gebeurd sinds wij elkaar voor het laatst hebben gezien. Ik heb Jezus leren kennen en ben christen geworden.'

Wat een mafkees, dacht ik, al moest ik bekennen dat hij er leuk uitzag. Ik moest net als hij naar mijn klas, dus spraken we af voor de volgende dag in een café.

Toen ik op het afgesproken tijdstip in het Segafredo Café in het autoloze winkelcentrum van Linz arriveerde, was Christian er al. Hij zat in het verste hoekje en het viel me weer op hoezeer hij was veranderd. Ernstig en netjes, maar toch leuk.

Hoewel we elkaar een hele poos niet hadden gezien, verliep het gesprek met het grootste gemak. We hadden het over vroeger en de mensen met wie we op school hadden gezeten, voor hij naar mijn 'lange verhaal' informeerde. Maar omdat ik nog niet zover was om hem alles over mijn zes maanden in Pakistan te vertellen, ging ik gauw op iets anders over en vroeg ik hoe het kwam dat hij zo was veranderd.

Op school was Christian zo'n typisch joch zonder vooruitzichten geweest. Hij leefde bij de dag zonder enig idee wat hij met zijn leven wilde doen. Op zijn zestiende rookte hij al veel, dronk regelmatig alcohol en er waren maar weinig drugs waarmee hij niet vertrouwd was. Een paar maanden daarvoor was hij met een exotisch mengsel van alcohol en drugs naar huis gegaan en aan een soort delirium ten prooi gevallen. En toen was volgens Christian Jezus aan hem verschenen.

'Dat klinkt volslagen maf,' zei ik tegen hem en ik barstte in lachen uit.

Maar Christian was niet te stuiten. Hij vertelde dat het hem sinds die avond voortdurend overkwam, of hij nu had gedronken of niet, met of zonder drugs, en op een gegeven ogenblik was hij helemaal gestopt met drank en drugs zodat hij over zichzelf en het leven kon nadenken. Uiteindelijk ging Christian naar zijn buren, een predikant met zijn gezin die voor een van de vrije gemeenten werkte, en aan hem vertelde hij over zijn visioenen.

'Jezus leeft,' had de predikant geantwoord. 'Hij is een levende God en spreekt voortdurend tot ons.'

Toen Christian weer wegging, gaf de predikant hem een bijbel mee. Het verhaal klonk te eigenaardig om geloofwaardig te zijn. Ik had het gevoel dat ik vrij veel van godsdienstkwesties wist, en al was het christendom even aangeroerd in de Koranschool en afgedaan als het product van verwarde westerse geesten, bleef zijn verhaal meer dan dubieus. Ik geloofde niet in het soort openbaring dat Christian had gehad. Het klonk me allemaal te veel als abracadabra in de oren. Waarom zou een god – of het nu Allah, de christelijke God of de joodse God was – mensen op aarde een teken geven? Ik had geleerd dat je een godvrezend bestaan moest leiden om na de dood te worden beloond met het paradijs. De moellah had me geleerd en het stond in de Koran geschreven dat het doel van het leven is om de hemel te bereiken. Mijn geloof sprak niet van goddelijke visioenen of spirituele openbaringen, die iemands aardse handelen beïnvloedden. En waarom zou het ook?

Maar afgezien van zijn idiote verhaal was Christian heel aardig en we ontmoetten elkaar bijna elke dag. We zaten in een cafetaria voor de school, ontmoetten elkaar in de pauze in de gang en soms maakten we na school zelfs een wandeling langs de Donau, maar alleen als de laatste les verviel, omdat ik mijn ouders had beloofd uiterlijk een half uur na school thuis te zijn, en aan die belofte hield ik me.

Ik mocht Christian wel, heel graag zelfs. Hij was iemand die van het leven genoot, hij was aardig en vriendelijk, maar nog altijd zelfverzekerd. Hij was ook attent en behulpzaam, waardoor hij het tegendeel was van Pakistaanse mannen en vooral van mijn verloofde Salman. Ik genoot net zo van onze wandelingen als van de momenten dat we gewoon zonder iets te zeggen op een bankje op de oever van de Donau of op het plein in het centrum van Linz zaten. Op zulke momenten zoog ik mijn longen vol lucht, keek naar alle mensen om me heen en luisterde ik naar het piepen van de remmen van de tram wanneer die stopte. Dat alles betekende vrijheid voor me en was zo heel anders dan in Pakistan, waar ik nog maar een paar weken daarvoor gevangengezeten had in het huis van mijn familie.

We praatten over van alles en nog wat: over de avondschool, over onze ouders en over de vrienden op school, met maar twee uitzonderingen, Christians bekering tot het christendom en mijn verblijf in Pakistan. Hoewel Christian wist dat ik er zes maanden was geweest, had hij geen idee waarom.

Dat klinkt misschien vreemd, omdat Christian in die tijd niet alleen mijn beste, maar ook mijn enige vriend was en de kwestie Salman mijn grootste probleem vormde. Mijn angst voor zijn reactie weerhield me ervan hem alles te vertellen. Diep vanbinnen wist ik waarschijnlijk al dat Christian een oplossing zou voorstellen die mij in dat stadium nog veel te gevaarlijk leek en grote problemen voor mij zou betekenen, een oplossing waarover ik niet eens durfde na te denken.

Toch deed Christian geen enkele poging om mij te bekeren. Hij aanvaardde mijn negatieve opstelling en als ik dat vroeg, hield hij direct op met praten over zijn spirituele ontwaken. Maar hoe meer tijd ik met hem doorbracht, hoe dieper ik over hem nadacht. Hij was veranderd. Er was geen twijfel aan dat hij er anders uitzag en er was ook geen twijfel aan dat hij een beter mens was geworden. Hij was attent en behulpzaam, trekjes die de vroegere Christian beslist niet sierden. Had zijn geloof dat echt allemaal teweeggebracht?

Zonder dat ik me er in die tijd bewust van was, kreeg ik meer belangstelling voor het christendom. Hoe was het mogelijk dat er een godsdienst bestond die niet alleen voor het hiernamaals was, maar ook voor dit leven? Die vraag hield me het meest bezig.

Waren dat de eerste tekenen van een geloofsconflict? Vast niet. Hoewel ik bidden en het lezen van de Koran niet meer zo serieus nam als direct na mijn terugkeer in Linz, was ik er nog steeds sterk van overtuigd dat de islam het enige ware geloof was. Maar ik kan evenmin ontkennen dat ik gefascineerd raakte door het christendom, vooral omdat mijn problemen thuis weer erger werden.

Mijn ouders wilden dat ik een visum voor Salman regelde zodat hij me kon bezoeken. Het idee mijn leven in Linz met Salman te moeten delen maakte me doodsbenauwd. Ik verzette me uit alle macht tegen het voorstel, maar mijn ouders hielden voet bij stuk. Telkens weer zeiden ze dat Salman had gebeld en naar me had gevraagd. Hij had het recht mij te bezoeken, dus moest ik een visum voor hem aanvragen. In de hoop dat ze het zouden opgeven, probeerde ik tijd te rekken door steeds maar weer nieuwe excuses te verzinnen.

Maar ze gaven het niet op, integendeel. Zes maanden na mijn terugkeer begonnen de represailles van mijn ouders weer. Ze volgden elke stap die ik zette en ik kreeg vreselijk op mijn kop als ik maar een half uur te laat thuiskwam. Omdat ik hun niets over Christian had verteld, uit angst dat ze het contact met hem zouden verbieden, dachten ze dat ik mijn Oostenrijkse vriendinnen weer had opgezocht.

Ik kreeg een baantje in een callcenter van een instituut voor opiniepeiling. Omdat de school pas om zes uur 's avonds begon, vonden mijn ouders het een goed idee dat ik wat geld zou verdienen. Voor mij was het baantje een welkome gelegenheid om Christian te ontmoeten omdat mijn ouders nooit precies op de hoogte waren van mijn werktijden.

Toch ontwikkelde de situatie zich van kwaad tot erger. Net als het jaar daarvoor bespioneerde mijn moeder me uit het keukenraam wanneer ik uit de tram stapte en controleerde ze constant hoe ik me kleedde. En het was Salman voor en Salman na. Hoewel ze niet dreigden me te slaan, lieten ze er geen misverstand over bestaan dat ik moest regelen dat Salman naar Oostenrijk zou komen.

'Je bent weer net als vroeger,' klaagde mijn moeder toen ik tegensputterde. 'Als je niet gauw zijn overtocht regelt, nodigen we hem zelf uit, maar dan ben je onze dochter niet meer!'

Natuurlijk had ik altijd geweten dat dit moment vroeg of laat zou komen, maar ik had aangenomen dat ze me op zijn minst mijn school zouden laten afmaken voordat de kwestie-Salman ernstige vormen zou aannemen. De druk nam toe, maar als ik vroeg waarom alles zo snel moest, kreeg ik geen antwoord.

Net als in Pakistan nam ik weer mijn toevlucht tot de Koran. Tenslotte hadden al mijn gebeden en alle keren dat ik de soera's had gelezen me in Pakistan rust en kalmte gebracht, maar nu hielp het niet. Er veranderde niets, helemaal niets.

Op een dag op het hoogtepunt van de zomer gebeurde wat er moest gebeuren: tijdens een van onze wandelingen stortte ik mijn hart uit bij Christian. Ik verzweeg niets; mijn problemen met mijn ouders, onze reis naar Pakistan, de twee Koranscholen, mijn verloving met Salman en het feit dat mijn ouders er maar op hamerden dat ik een visum voor hem zou regelen.

'Je moet bidden en dan zal God je helpen,' zei Christian toen ik uitgesproken was.

'Ik bid vijf keer per dag, maar er gebeurt niets,' antwoordde ik.

'Heb je er wel eens bij stilgestaan dat je misschien tot de verkeerde god bidt?' vroeg Christian.

Terugkijkend besef ik dat Christian niets anders had kúnnen zeggen. En al geloofde ik dat ik rotsvast in mijn geloof stond en al sprak ik hem heftig tegen, zijn vraag had wel effect. Ik kon er niet omheen dat Christians God een enorme uitwerking op hem had gehad. Hoewel ik me met al mijn kracht tegen die ontkiemende gedachten verzette, ging ik me inderdaad afvragen of Allah wel echt de juiste god was.

'Hij die Allah altijd in twijfel trekt, roept een vloek af over zijn huis. Na zijn dood verandert zijn graf in een hel en er vormen zich hele scharen om zijn lijk te verslinden.' Ik moest direct aan die zinnen denken, die ik in de Koranschool uit den treure had gehoord. Onze moellah had ons ervan overtuigd dat elke onbedekte haar van een vrouw een nieuwe schare voor haar graf zou betekenen. Dat beeld bracht een golf van angst teweeg, zodat ik elke keer nachtmerries kreeg zodra ik sliep. Tenslotte droeg ik in Oostenrijk geen hoofddoek en nu had Christian Allahs bestaan in twijfel getrokken. Welke vloek zou ons gezin nu treffen? Ik was behoorlijk over mijn toeren.

Maandenlang kwelde ik mezelf met dat probleem. Hoe sterker mijn ouders erop aandrongen Salman naar Oostenrijk te halen, des te onoverkomelijker en ondraaglijker mijn innerlijk conflict werd. Ik wilde niet dat hij naar Oostenrijk kwam en tegelijkertijd wilde ik geen nieuw conflict met mijn ouders. Ik wilde gewoon in vrede leven, school afmaken en een goede baan zoeken, maar mijn ouders zouden die levensstijl nooit accepteren. Om in vrede te kunnen leven, zou ik hen moeten verlaten en dat kon ik me amper voorstellen. Ik zocht radeloos naar steun, die ik niet vond in mijn geloof. Ik zocht vergeefs naar antwoord in de Koran. Daarin draaide alles om de godvrezende houding die je op aarde moest betrachten voor je beloning in de hemel. Maar in die tijd zei de hemel me niets. Tenslotte vonden mijn moeilijkheden – zoals dat onmogelijke huwelijk met Salman – niet plaats in het hiernamaals, maar hier en nu.

Ik kon bij niemand mijn hart uitstorten. Mijn ouders? Geen sprake van. Mijn zusje? Zij die me ooit wat troost had geboden was tegenwoordig zo anders dat ze me beslist niet zou begrijpen. En Christian? Met hem kon ik niet praten omdat zijn christelijke geloof mij nog onzekerder maakte. Ik bleef maar in een kringetje ronddraaien en wist niet wat me te doen stond.

Kort voor Kerstmis nodigde Christian me uit in een koffiehuis in Linz.

'Ik heb een cadeautje voor je! Het is het kostbaarste wat ik je kan geven,' zei hij. Nieuwsgierig maakte ik het prachtig verpakte cadeau uit. Het was een bijbel. Al wist ik dat het bezit van dat boek een enorm risico voor me betekende, ik nam het toch aan.

Ondertussen nam de druk van mijn ouders nog meer toe. Ze wilden dat ik de trouwakte ondertekende, zodat zij een visum voor Salman konden aanvragen. Op een nacht riep ik ten einde raad God aan: 'Wie bent u? Bent u Allah, Jezus, Boeddha of Krishna? Als u almachtig en alwetend bent, waarom helpt u mij nu dan niet?'

Mijn blik viel op de bijbel.

'Dat boek is één grote leugen!' had mijn vader altijd gezegd. Hij had zelfs een keer geprobeerd een christelijke zendeling die van deur tot deur ging daarvan te overtuigen. En nu had ik, zijn dochter, het boek van de Nazarener in handen. Natuurlijk had ik geen idee wie de apostel Paulus was, noch kende ik het verschil tussen het Oude en het Nieuwe Testament. Deze zoektocht werd maar door één vraag aangestuurd: 'God, wie bent u?'

En dus sloeg ik de bijbel open en las de volgende, rijkelijk versierde woorden: 'Jullie zullen mij zoeken en ook vinden, als jullie mij tenminste met hart en ziel zoeken' (Jeremia 29:13). Al was het niet alsof ik plotseling door de bliksem was getroffen, ik had wel het gevoel dat die passage een antwoord was op mijn vraag. Was het toeval dat mijn oog nou juist daarop was gevallen? Waarom had ik nog nooit zoiets ervaren bij de Koran?

Op de Koranschool was het me niet zo opgevallen, maar nu ik kon vergelijken, was de hardvochtigheid van Mohammeds taal heel opvallend. Bovendien vond ik het heel prettig dat er in de Bijbel geen geboden stonden waaruit bleek dat de vrouw de dienares was van de man. Het was niet alleen prettig, het overtuigde me. Ik was nog steeds moslima, maar vond de Bijbel heel boeiend. Boeiend en prettig. Ik las er bijna elke avond in, iets wat niet van gevaar ontbloot was, in aanmerking genomen wat er zou gebeuren als mijn ouders me erop zouden betrappen.

Ik vertelde geen mens dat ik elke avond in de Bijbel las, zelfs niet tegen Christian toen hij vroeg hoe zijn kerstcadeau me beviel. Ik weet niet of ik daar toen te trots voor was of dat ik gewoon bang was dat hij de goede conclusie zou trekken. Ik weet alleen dat het juiste moment nog niet was gekomen.

Maar de Bijbel maakte me nieuwsgierig. Heimelijk ging ik de christelijke leer beter bestuderen. Ik beschouwde de Bijbel niet als een handboek voor het leven en daarom verwachtte ik niet dat ik er een antwoord op mijn problemen in zou vinden, maar het deed me toch goed om die visie op een rechtvaardige wereld te lezen, een wereld waarin geen verschil werd gemaakt tussen een gelovige en een ongelovige, tussen christen en Arabier noch tussen mannen en vrouwen, zelfs niet tussen de regels door.

Ik werd vooral geboeid door de persoon Jezus. Die man verdedigde een overspelige. En waarom hield hij met een verworpene, een Samaritaan, het langste gesprek van het Nieuwe Testament? Waarom verscheen hij na zijn wederopstanding het eerst aan een vrouw en niet aan zijn discipelen? Ik wilde meer weten van die ongewone man en moest denken aan een film die de Oostenrijkse tv altijd rond Pasen uitzond. Mijn moeder zette de tv steeds uit wanneer de scène van de kruisiging kwam. 'Ze hebben hem nooit gekruisigd! Dat hebben de christenen verzonnen!' tierde ze dan. Maar die scène van iemand die bereid was zijn leven voor anderen te offeren boeide mij nu juist het meest. Ik wilde de film uitzien tot het eind, dus ging ik de stad in om te proberen een exemplaar te kopen, maar waar ik er ook naar informeerde, ik kreeg alleen gegniffel en gegrinnik te horen.

Opeens moest ik denken aan iets wat Christian me had verteld: 'Jezus leeft en houdt van je!' Ik dacht, oké, Jezus, als u echt leeft, help me die film dan te vinden! Toen mijn volgende poging om de video te bemachtigen ook vruchteloos bleek, gaf ik het op. Buiten was het inmiddels donker geworden. Teleurgesteld zat ik in de tram en had het gevoel dat zelfs Jezus me niet kon helpen.

'Wat ben jij knap. Ben je soms zangeres?' hoorde ik opeens iemand zeggen.

'Nee,' antwoordde ik de man die tegenover me zat.

'Ik weet niet waarom, maar ik heb het gevoel dat ik jou iets moet geven, meisje,' vervolgde hij.

'O, ja, het is Kerstmis! Geef me maar een cadeautje,' zei ik voor de grap, met een sarcastische glimlach. De vreemdeling gaf me een folder waarop stond: *Via deze hotline krijgt u gratis een film over Jezus!* Hoewel ik de hotline nooit heb gebeld, was ik diep geraakt door die toevallige ontmoeting, en was ik ervan overtuigd dat God me weer antwoord had gegeven.

Mijn hart was vervuld van vreugde, maar mijn hoofd sprak klare taal: Sabatina, je ouders zíjn al razend dat je niet met Salman wilt trouwen. Hoe zullen ze in hemelsnaam reageren als je de islam de rug toekeert? Hoe moet je zonder je familie leven? Ik rilde bij de gedachte dat ik hen zou verliezen, en ik wist dat de relatie met mijn familie ten dode was opgeschreven als ik me tot Jezus zou bekeren. Toen schoot me te binnen dat ik aan de buitenkant een moslima kon blijven, maar in mijn hart een christen kon zijn. Dat idee bleef slechts hangen tot ik weer stiekem in de Bijbel zat te lezen en ik las: 'Wie meer van zijn vader of moeder houdt dan van mij, is mij niet waard.' (Matteus 10:37)

Opeens liep mijn opvatting over de vriendelijke Messias, die met zijn liefde alles accepteerde, als een ballon leeg. Maar tegelijkertijd werd het me duidelijk dat die Jezus mij naar het smalle, rechte pad zou leiden. Terugkijkend kan ik niet zeggen wanneer ik me precies bekeerde, of hoe lang het proces duurde, maar de antwoorden op mijn vragen overtuigden me. Ik werd christen en ben ervan overtuigd dat mijn zoektocht naar God mij de weg naar de vrijheid heeft gewezen. De zekerheid dat er een vader in de hemel is die niet zal toestaan dat ik wees blijf, maar die me altijd een uitweg biedt al lijkt het hele leven hopeloos, geeft me tot op de dag van vandaag een groot gevoel van hoop. Daaruit put ik ook de kracht om te leven, want al ben ik alles kwijt wat mij zekerheid verschafte – mijn familie, mijn thuis en mijn land – ik heb mijn vrijheid gewonnen.

Ik ken veel moslims die hun geloof hebben afgezworen. Maar hun slechte ervaringen met de islam hebben ervoor gezorgd dat ze nu niet meer in het bestaan van welke god dan ook geloven. Ze vragen me hoe ik nog steeds in God kan geloven na zo'n lijdensweg door zijn toedoen. Maar voor mij blijft het zonneklaar dat God me uit mijn ellende heeft verlost.

Ik vind ook dat zelfs atheïsten in christelijke landen heel dankbaar mogen zijn voor het feit dat er zoiets als de Bijbel bestaat, omdat dit boek de fundamentele wet bevat dat de mens de vrijheid heeft zijn godsdienst te kiezen. Al besef ik dat niet alles wat er onder de dekmantel van het christendom is gebeurd goed is, leveren de woorden van Jezus, die laat zien dat liefde het hoogste goed is, een routebeschrijving naar een betere wereld. Helaas is die boodschap niet tot de hele christelijke wereld doorgedrongen.

Ooit ben ik zelfs een keer uit een kerk gezet omdat een 'zuster' van mening was dat mijn blouse een te grote beproeving voor haar 'broeders' was. Ik noem dat 'islam light'. In Pakistan moet een vrouw om dezelfde reden altijd een sluier dragen. 'De vrouwen zijn altijd de schuld van die seksuele en duivelse natuur. Ons lichaam is verdorven,' had mijn Koranleraar in Lahore me voorgehouden. Tot op de dag van vandaag is het me een raadsel waarom sommige christenen mijn geloof in God afmeten aan de lengte van mijn rok. 'Ik ben niet gekomen om je te beoordelen, maar om je te verlossen,' heeft Jezus gezegd. En hoe kunnen wij als zijn volgelingen onszelf boven hem stellen?

In plaats van te zoeken naar fouten in mijn medemensen, vraag ik me liever af: wat kunnen anderen aan mijn aanwezigheid hier hebben? Veel belangrijker dan het bijwonen van elke gebedsbijeenkomst is het mijn plicht om altijd kalm en standvastig te blijven, al word ik door mijn eigen familie opgejaagd en belasterd. Voor mij betekent geloven dat ik, als ik voor de zevende keer ben gevallen, nog altijd vol vertrouwen voor de achtste keer zal opstaan. Mijn geloof is een innerlijke houding in plaats van een uiterlijk lichtbaken.

Begin 2001 barstte thuis de bom. Er ging bijna geen dag voorbij of mijn ouders brachten het gesprek op Salman en zijn visum. Ze wilden gewoonweg niet inzien dat ik hem niet in Oostenrijk wilde hebben. Intussen werkte ik niet meer in het callcenter en hielp ik in het weekeinde in een koffiehuis. Ik droeg westerse kleding, ontmoette vriendinnen van de avondschool en gebruikte weer make-up. Dat waren allemaal tekenen dat ik hun waarden aan mijn laars lapte. Maar er was één verschil: deze keer was het niet de opstandigheid van een puber. Nu ging het om míjn leven, het leven van een zelfbewuste, moderne, westerse vrouw dat ik wilde leiden. In die periode stuurde ik zelfs een paar foto's naar een modellenbureau. Toen mijn moeder de foto's vond, sprong ze uit haar vel en schreeuwde ze dat ik een hoer was.

Als ik ook maar vijf minuten te laat thuiskwam en mijn moeder me make-up zag dragen, schreeuwde ze tegen me: 'Met wie heb je gelegen?' Dat was haar eufemisme voor 'seks'. Het spreekt vanzelf dat ik tot die tijd nog nooit met een man had geslapen. Het was net zoals een jaar daarvoor; het enige verschil was dat ze me niet meer sloeg. Maar die beschuldigingen en vernederingen deden meer pijn dan slaag.

Ik was inmiddels achttien en ging nog steeds naar school. Het zou nog twee jaar duren voordat ik eindexamen kon doen. Ik had hoegenaamd geen idee wat ik moest doen om de constante ruzies en de vernederingen van mijn ouders te verduren. Ik zag geen uitweg.

Inmiddels las ik bijna elke avond in de Bijbel en merkte ik dat die steeds meer invloed op me kreeg. Voor mij leek het boek veel vrede en vriendelijkheid uit te stralen, en dat stond in schril contrast met de islam. Toch verbood ik mezelf nog meer twijfels over mijn eigen geloof te koesteren, al was het me heel duidelijk dat er in die fase van mijn leven geen weg terug meer was. Hoe meer ik me bezighield met de Bijbel, hoe absurder de Koran leek. In de Koran draaide alles om de strijd en om de macht van het geloof. De onderdrukking van vrouwen wordt er schaamteloos in gerechtvaardigd en zelfs geweld, het doden van mensen van een ander geloof, werd niet veroordeeld.

Vergeleken daarmee was de Bijbel zo veel warmer, hartelijker en liefdevoller tegenover iedereen, vrouwen incluis. Terugkijkend gaf de Bijbel mij inderdaad iets van troost gedurende die moeilijke fase van mijn leven, iets wat de Koran nooit was gelukt.

Telkens weer merkte ik dat ik de islam de schuld van mijn situatie gaf. Als mijn ouders christenen waren geweest, hadden ze nooit van me verwacht dat ik met Salman zou trouwen, dan zouden ze me nooit naar een Koranschool hebben gestuurd en me in de steek hebben gelaten bij een tante, en zouden ze nooit hebben geprobeerd mij volgens hun achterhaalde waarden te laten leven. De islam sluit mensen buiten, in tegenstelling tot Jezus die hen juist omarmt. Dat stond althans in de Bijbel, en dat overtuigde me.

In die tijd begon ik boeken te lezen over islamitische vrouwen die zich tot het christendom hadden bekeerd. Bijvoorbeeld *Torn Veil*, het verhaal van een jonge vrouw die na een ernstige ziekte christen werd. Het gaf me een goed gevoel over mensen te lezen die net zulke problemen hadden gekend als ik en een oplossing hadden gevonden.

Toch kwam mijn voorliefde voor het christendom niet alleen voort uit het feit dat het me een vluchtweg bood uit een uitzichtloze situatie. In de loop der tijd groeide mijn enthousiasme voor Jezus, vooral wanneer ik naar Christians voorbeeld keek. Zijn geloof had tot een fundamentele transformatie geleid en al zullen mijn ouders, familieleden en talrijke andere moslims het nooit begrijpen, ik kwam steeds dichter bij dat geloof. Ik begon te geloven in God, Jezus en de goedheid van mensen.

Tegenwoordig weet ik niet hoe lang het precies duurde. Ik wist maar één ding: ik werd christen. Het ging niet gepaard met toeters en bellen en er waren aanwijzingen noch sleutelmomenten zoals bij mijn vriend Christian. Het voltrok zich langzaam maar zeker. Op een zeker ogenblik in die nachten toen ik naast mijn zusje stiekem in de Bijbel lag te lezen, keerde ik Allah en zijn profeet Mohammed de rug toe. Ik geloofde niet meer in hen, noch in de Koran, noch in de superioriteit van de islam. Hoe vreemd het ook klinkt, alle invloed die mijn ouders, mijn grootvader en de moellahs van de Koranscholen jarenlang op me hadden uitgeoefend, werd in een periode van een paar weken zo goed als uitgewist, dankzij een paar weken heimelijk lezen en het voorbeeld van een vriend die radicaal was veranderd. Op een gegeven moment werd het me allemaal duidelijk, al kan ik me niet herinneren wat die overtuiging deed postvatten. Voor mij en mijn leven was de Bijbel overtuigender.

Ik weet dat er in de loop der eeuwen veel negatiefs uit naam van het christendom is gebeurd, maar mij gaat het om het onderliggende idee: het visioen van liefdevol en menselijk samenleven op aarde. Het visioen dat het leven meer te bieden heeft dan wat we dag in dag uit doen. Het idee dat de dood niet het einde is, maar dat het leven doorgaat. Dat er zoiets bestaat als verlossing: een wederopstanding nadat je bent begraven, misschien zelfs in een paradijs waar iedereen gelijk is en waar niemand wordt beloond met honderd maagden omdat hij zich uit naam van zijn geloof heeft opgeblazen met een gordel van explosieven.

Destijds dacht ik niet in die termen en tegenwoordig ben ik nog steeds niet politiek georiënteerd. Ik ben niet fanatiek, geen zendeling en net als zovele andere christenen in Oostenrijk heb ik problemen met bepaalde zaken die de Kerk van haar congregatie verlangt. Ik heb alleen maar belangstelling voor de onderliggende gedachte. Ook weet ik dat het christendom mij heeft overtuigd en dat ik gelukkiger ben sinds ik dat aan mezelf heb toegegeven. Het duurde lang voordat ik het begreep, maar zodra dat gebeurde, was ik gelukkig. Ik voelde me beschermd en begrepen en opeens viel het me makkelijker om mijn situatie te begrijpen.

Maar ik koesterde geen illusies; de bekering tot het christendom zou mijn problemen alleen maar erger maken. In de boeken die ik las beschreven de auteurs de vervolging door hun familie waarmee ze na hun bekering te maken kregen. Hoe zouden mijn ouders reageren als ik hun vertelde dat ik niet alleen weigerde met Salman te trouwen, maar dat ik ook nog christen was geworden? Ze zouden me voor rotte vis uitmaken, mishandelen en me meer dan ooit onderdrukken.

Kort nadat ik had beseft dat er geen weg terug was, vertelde ik het aan Christian. Hij was blij voor me, maar tegelijkertijd drong hij erop aan niets tegen mijn ouders te zeggen. Hij maakte zich bezorgd en algauw zou blijken dat hij gelijk had.

Ik was inmiddels heel bedreven in verstoppertje spelen en ik had de communicatie met mijn ouders tot het minimum beperkt, zodat mijn recente verandering niet opviel. Ze hadden wel in de gaten dat ik niet meer vijf keer per dag bad, en ook niet meer in de Koran las, maar ze gingen er waarschijnlijk van uit dat dit het zoveelste protest tegen hun gezag was. Zo had het maanden kunnen doorgaan als de kwestie-Salman er niet tussen was gekomen. Mijn ouders bleven erop aandringen hem naar Oostenrijk te laten overkomen, maar gezien mijn bekering kon ik me hem niet bij me in de buurt voorstellen. Ik bleef halsstarrig weigeren.

Mijn nieuwe godsdienst had me een hernieuwd zelfvertrouwen gegeven, omdat ik nu wist dat ik er niet alleen voor stond, al wezen mijn ouders mij helemaal af. Die gedachte gaf me zo veel kracht dat het geen verbazing hoeft te wekken dat een nieuwe confrontatie pal om de hoek op de loer lag.

Het was een warme lentedag in 2001. Ik had Christian in een cafetaria in de Linzer Landstrasse ontmoet en hij had me verteld dat hij op vakantie naar Italië wilde. Ik was razend jaloers. Hij was net zo oud als ik, maar was al een paar keer zonder zijn ouders in het buitenland geweest. Even voor twaalf uur namen we afscheid van elkaar. Christian wilde nog wat boodschappen doen en ik moest huiswerk maken. We spraken af voor die middag in dezelfde cafetaria om wat te praten tot de school weer begon.

Toen ik thuiskwam, stond mijn moeder in de gang. Ik zie haar nog zo voor me staan, alsof het gisteren was. Ze droeg een rode salwar kameez en had haar haar niet verzorgd omdat ze die dag nog niet buitenshuis was geweest. Ik rook de geur van een kliekje kipcurry van de vorige avond, dat mijn moeder opnieuw opwarmde. Mijn broers en zus waren nog op school en mijn vader was eropuit met zijn taxi.

Ze keek me aan met een van woede vertrokken gezicht. Eerst dacht ik dat ik weer een tirade over Salman over me heen zou krijgen. Misschien had zijn moeder weer gebeld om naar het visum te informeren. Maar het was iets nog onbenulligers.

'Hoe zie je eruit?' snauwde ze me toe.

Dus het ging weer om mijn uiterlijk. Ik droeg een spijkerbroek, een onopvallend, lang en los vallend lichtblauw T-shirt. Waarom was ze zo opgefokt?

'Hoe vaak moet ik je nog zeggen dat je niet zo moet rondlopen? Kleed je fatsoenlijk aan. Ben je alles vergeten wat je in Pakistan hebt geleerd?'

Nog altijd ben ik perplex dat zo'n bespottelijk onderwerp tot de grote klap leidde. Het ging om een T-shirt. Ik zou het nog hebben begrepen als het een bikini was geweest of mijn ontmoetingen met Christian, waarvan ze geen weet had, of over Salman... Maar om een T-shirt? Misschien was het omdat ik in de loop der jaren al zo veel woede had opgepot, of misschien was het domweg omdat ik wist dat het er op een dag van moest komen. Hoe dan ook, ik besloot geen verstoppertje meer te spelen.

'Ik laat me door niemand de wet voorschrijven!' schreeuwde ik terug.

'Wat zei je daar?' Ze klonk net als die keer in Pakistan toen ik weigerde met Salman te trouwen: snerpend, oorverdovend en vervuld van haat.

'Ik gehoorzaam niet meer aan jullie regels. Ik kleed me niet meer zoals jij wilt. Ik doe niet meer alsof. Ik ga niet leven zoals jullie dat van me verlangen. En ik trouw van mijn leven niet met Salman!'

Ik schrok me een hoedje van mijn eigen woorden. Wat bezielde me? Het lag voor de hand wat dat betekende en de blik op mijn moeders gezicht verried dat zij het ook wist. Dit was het einde, het breekpunt.

'Zeg dat nog eens!'

'Je hebt me best verstaan. Ik trouw niet met hem!'

We staarden elkaar aan. Het was griezelig stil. Het enige wat ik hoorde, was het geluid van de tv in de huiskamer.

Mijn moeders wangen waren rood van kwaadheid en haar oogleden trilden. Ik verwachtte elk moment dat ze uit zou halen om me een oplawaai te geven. Maar dat deed ze niet.

In plaats daarvan ging ze naar mijn slaapkamer, forceerde de kastdeur en sleurde alles eruit. Daarna kwam ze terug, opende de voordeur en smeet alle spullen in de gang. Uiteindelijk greep ze een lege plastic zak en gooide die ook naar buiten.

'Loop maar naar de hel. Je bent mijn dochter niet meer! Ik wil je nooit meer zien!'

Met die woorden duwde ze me de gang op en ze sloeg de deur met een klap voor mijn neus dicht. Ik besefte dat dit het eindpunt was. Ik bleef als een zoutpilaar staan. Ik voelde niet één traan opkomen. Het was voorbij. Het zou nooit meer zijn zoals het was. En het rare was dat ik opgelucht was. Ik had geen idee wat me boven het hoofd hing, maar voelde me toch goed. Althans beter dan een jaar daarvoor toen ik na een soortgelijke ruzie naar Celestine was gevlucht. Ik stopte mijn spullen in de plastic zak en ging weg. Voorgoed.

7

Die dag besloot ik dat het voorgoed voorbij was. De ruzie met mijn moeder had de breuk met mijn familie bezegeld. Hoe onbenullig de aanleiding ook was, ik zou nooit meer naar huis terugkeren. We zouden niet meer onder één dak wonen omdat we elkaar nooit zouden begrijpen. Maar, zoals ik al zei, ik voelde me toch ook bevrijd. Door het definitieve karakter van mijn besluit viel er een last van mijn schouders die ik jarenlang elke dag had meegetorst. Eindelijk kon ik leven zoals ik dat wilde. Nu zou alles goed komen.

Na de ruzie met mijn moeder ging ik rechtstreeks naar de school van mijn broers en zus om afscheid te nemen, vooral van mijn zusje Aisha. Toen ze de plastic zak zag, wist ze meteen hoe de zaken ervoor stonden.

'Wat is er nu weer gebeurd?' Ze klonk niet eens opgewonden, eerder geërgerd. 'Waar ging de ruzie deze keer over?'

'Over mijn kleren,' antwoordde ik. 'Maar nu is het voorbij. Ik ga weg.'

Ik zag wel dat Aisha er geen woord van geloofde.

'Ik moet weer naar binnen. Vanavond praten we wel verder,' zei ze, voordat ze de bibliotheek uit liep.

Het was zinloos. Als zelfs mijn zus het niet begreep, was er geen enkele hoop dat ik iets van medeleven van mijn broers zou krijgen.

Ik had niets. Mijn enige bezittingen waren de kleren in de plastic zak in mijn hand. Ik had geen geld, geen onderdak en wist niet eens waar ik die nacht zou slapen. Afgezien van Christian, bij wie ik beslist niet kon logeren, had ik geen vrienden. Ik had geen andere keus dan naar het opvangtehuis te gaan waar ik twee jaar daarvoor al mijn toevlucht had gezocht. Maar dat leek me ook geen goed alternatief, omdat de maatschappelijk werkers me toen al niet echt hadden kunnen helpen. Na twee weken hadden ze me naar huis gestuurd met de raad om met mijn ouders naar Pakistan te gaan. Naar hun idee had ik helemaal niets te vrezen. Ze vonden het zelfs de ideale gelegenheid om mijn ouders te laten zien dat ik niet meer in hun Pakistaanse wereld paste.

Maar er was geen keus. Bij aankomst ontdekte ik dat de twee vertrouwenspersonen van toen dienst hadden. Toen ik vertelde wat er sinds onze laatste ontmoeting was gebeurd, wilden ze me direct opnemen. Ze wezen me weer een zolderkamertje toe met twee smalle bedden, een kast, een oud bureau, een stoel en een leeslamp. Ik deelde de kamer met de veertienjarige Karin, die jarenlang was misbruikt door haar vader en die een paar dagen daarvoor eindelijk de moed had opgebracht om van huis weg te lopen. Karin was een slank en heel gesloten meisje, maar we konden het goed met elkaar vinden.

De volgende dag belde een maatschappelijk werker mijn ouders om te zeggen dat ik weer in de opvang woonde en dat er voor de volgende week een gezinsbijeenkomst was gepland.

Het was vreemd om mijn ouders weer te zien. Bij hun bezoek aan de opvang twee jaar daarvoor verkeerde ik in een enorm emotioneel dilemma. Hoewel ik erg bang was voor mijn ouders en met name voor mijn moeder, zág ik hen nog wel als mijn ouders. Ik hield van hen en ondanks alles verlangde ik toen nog altijd naar de veiligheid die alleen een gezin kan bieden. Dat was ook de reden dat ik toen weer naar huis was meegegaan. Maar deze keer was het totaal anders. Toen we de vergaderruimte van het opvangtehuis binnengingen, merkte ik dat ik niets voor hen voelde. Ik haatte hen niet, maar wilde ook niet mee teruggaan. In het half uur durende gesprek voelde ik me sterker en zelfverzekerder dan ooit. Had ik die kracht van mijn geloof? Van de zekerheid dat God en Jezus me zouden beschermen? Of had het gewoon te maken met het feit dat ik inmiddels twee jaar ouder was en veel meer zelfvertrouwen had? Waarschijnlijk was het een combinatie van die drie.

Ik wilde toen niet dat mijn ouders achter mijn relatie met God kwamen, noch zouden weten dat ik in mijn hart al een christen was. Ik kon me wel voorstellen hoe ze zouden reageren, en na alles wat ik had gelezen over hoe de islam met bekeerlingen afrekende, wilde ik hen niet provoceren. Maar ik geloof dat ze wel aanvoelden dat ik een nieuw zelfvertrouwen bezat. Ze probeerden me maar één keer over te halen om terug te komen en gaven het direct op toen ze mijn vastbesloten stem hoorden. Daarna gingen ze onverrichter zake weer naar huis.

Na twee weken in de opvang stelden de maatschappelijk werkers voor een permanent onderkomen voor me te zoeken. Kort daarna verhuisde ik naar een eenvoudig gemeubileerd appartement in de buurt van het Hessenplatz in Linz.

Met zijn twintig vierkante meter was er net genoeg ruimte voor een smal bed, een tafel met twee stoelen, een klerenkast en een smalle boekenkast. Er was een kleine kitchenette en aan de gang waren een douche en een toilet. De meeste mensen zouden het geen droomwoning vinden, maar voor mij was het hemels. Eindelijk een plek voor mezelf, waar ik kon leven zoals ik wilde.

In het begin ging alles goed. Ik bleef naar school gaan, werkte in de cafetaria, ontmoette Christian regelmatig en na school ging ik stappen met de vriendinnen uit mijn klas. Het was zoals ik het me had gedroomd. Eindelijk kon ik me zo Oostenrijks gedragen als ik me voelde zonder dat er iemand boos werd. Langzaam maar zeker kreeg ik nieuwe vrienden, die me accepteerden zoals ik was. En wat nog beter was, ik hoorde bijna een hele maand niets van mijn ouders. Ze leken me met rust te laten. Nu nog denk ik met plezier aan die periode terug. Hoewel ik bijna geen geld had, was de vrijheid die ik ervoer onbetaalbaar. Ik was achttien en leefde in het begin van die zomer voor het eerst als een vrij mens. Tegenwoordig moet ik op mijn onderduikadres nog vaak aan die tijd terugdenken. Ik koester bepaald geen hooggespannen verwachtingen voor mijn leven, alleen dat het weer zal worden zoals toen. Maar nu lijkt daar geen sprake van.

Die vrijheid, waarin ik niet alleen van mijn nieuwe leven genoot, maar ook mijn geloof consolideerde, zou nauwelijks zes weken duren. Ik las vaak in de Bijbel, leerde andere christenen kennen en kreeg vrienden in die kring. Ze hielpen me als ik iets niet begreep en op zondag namen ze me mee naar de kerk.

Op een dag namen mijn ouders weer contact met me op. De eigenaar van de cafetaria waar ik werkte, had hun mijn nummer gegeven. Eerst was ik blij iets van ze te horen. Vooral mijn vader deed vriendelijk. Hij wilde dat ik thuis zou komen, maar drong niet verder aan toen ik zijn voorstel afwees.

Een paar dagen later belde hij weer om te zeggen dat hij op bezoek wilde komen in mijn nieuwe huis. Daar schrok ik geweldig van. Wat voerde hij in zijn schild?

Maar toen hij in het begin van de middag op bezoek kwam, maakte hij een aardige en vreedzame indruk. Hij wilde dat ik weer thuiskwam en dat had ik wel verwacht. Maar in tegenstelling tot bij de telefoongesprekken liet hij zich, nu hij tegenover me zat, niet zo makkelijk afpoeieren.

'Je moet thuiskomen, anders verliezen we onze eer,' hield hij aan.

'Dat kan ik niet, vader.'

'Weet je nog wel wat correct is?'

Ik kon merken dat hij zijn geduld begon te verliezen, maar ik was niet bang voor hem en op dat moment besloot ik de waarheid te vertellen.

'Ja, ik weet wat goed is. God zegt dat het niet goed is dat een vrouw wordt onderdrukt. Het is niet goed dat ik met een man trouw van wie ik niet hou!'

'Over welke god heb je het, Sabatina?'

Ik raapte al mijn moed bijeen.

'Ik geloof niet in dezelfde god als u, vader. Ik geloof met heel mijn hart in Jezus Christus.'

Grommend van woede sprong hij op en stormde het appartement uit zonder me nog één blik waardig te keuren.

Ik had het gedaan! Ik had mijn familie verteld dat ik christen was geworden.

Direct belde ik mijn vriend Christian en hij kwam nog diezelfde dag bij me langs. Opnieuw was hij dubbel over de nieuwe situatie. Hij was blij dat ik mijn ouders de waarheid had verteld, maar ook heel bezorgd om mijn toekomst en vooral om mijn veiligheid. Hij wist precies wat de straf volgens de Koran en de sharia – de islamitische wetgeving – voor bekeerlingen als ik zou zijn. In Pakistan worden mensen die de islam de rug toekeren domweg vermoord.

Die vreselijke angst was geboekstaafd in alles wat ik over islamitische vrouwen die zich tot het christendom hadden bekeerd had gelezen. En op dat moment kon ik me heel goed voorstellen hoe ze zich gevoeld moesten hebben, omdat ik uit persoonlijke ervaring maar al te goed wist hoeveel waarde mijn ouders hechtten aan de geboden van de Koran en aan de eer van de familie. Tegelijkertijd kon ik me niet voorstellen dat ze me echt iets zouden aandoen. Ze waren tenslotte mijn ouders.

'Ze zullen me heus niets doen, ik ben hun dochter,' zei ik tegen Christian, omdat ik niet wilde dat hij zich zorgen maakte, maar hij gaf het niet op.

'O, dat zullen ze wel. Je moet goed uitkijken, Sabatina.'

Christian had gelijk. Nog maar een paar uur nadat mijn vader was vertrokken, begon er een kwelling die alles wat ik tot dan toe had beleefd deed verbleken, en die voortduurt tot op de dag van vandaag. Eerst werd ik gebeld door mijn moeder, in wier ogen ik dezelfde hoer was als alle andere Oostenrijkse meisjes en die er geen twijfel over liet bestaan hoezeer ze me haatte. Kort daarna belde mijn vader die me een 'slet', een 'stuk stront' en een 'hoer' noemde. Maar mijn ouders hadden me al zo vaak de ergste beledigingen naar het hoofd geslingerd dat ik van twee telefoontjes niet meer overstuur werd.

De volgende dagen bleven ze bellen, maar ik liet me niet van de wijs brengen. Ik ging naar school, deed mijn werk en ontmoette Christian. Bij hem voelde ik me veilig; het was heerlijk om eindelijk iemand te hebben met wie ik kon praten. Eigenlijk was het niet eens nodig, want ondanks de telefoontjes van mijn ouders voelde ik me nog altijd betrekkelijk veilig. Ik wist best dat ze helemaal niet ingenomen waren met mijn verandering van godsdienst, maar kon me in de verste verte niet voorstellen dat ze me iets zouden aandoen, behalve misschien een pak slaag geven. Tenslotte was ik hun dochter en dacht ik nog steeds dat familiebanden zwaarder wogen dan de eisen van hun godsdienst.

Afgezien daarvan zou Christian me toch niet kunnen verdedigen. Hij was vrij mager en als puntje bij paaltje kwam, zou hij niet opgewassen zijn tegen mijn vader. Hoe dan ook, ik was wel blij om hem als vriend te hebben en we baden dikwijls samen, wat iets van troost bood.

Echt bedreigd voelde ik me niet, zelfs niet toen mijn vader diverse malen per dag belde om me de huid vol te schelden en erop te staan dat ik direct thuiskwam. De telefoontjes begonnen erbij te horen. Bijna elke ochtend tussen zeven en acht voordat mijn vader het huis verliet, en 's avonds tussen zes en tien wanneer ze allemaal thuis waren, ging de telefoon. Maar omdat ik de nummers op mijn mobiel kon zien, nam ik vaak niet op. Dan bleven ze het net zo lang proberen tot het me ergerde en ik opnam, waarop ze hun beledigingen hervatten. Soms kwam mijn vader langs om voor mijn deur te posten en erop te bonken en te schreeuwen. Ik deed nooit open en na een poosje ging hij dan weer weg. Het was vervelend, maar niet onverdraaglijk, dus deed ik niets.

Dat maakte mijn vader blijkbaar nog woester. Hij belde

steeds vaker en kwam bijna elke dag voor mijn deur staan, wat tot problemen met de buren leidde, die terecht klaagden over het constante geschreeuw op de gang.

Op een dag verscheen hij zelfs in het koffiehuis waar ik werkte en daar ging hij zo lang tekeer dat ik me in de wc opsloot. Het kostte mijn baas veel overredingskracht om hem weg te krijgen, en het gevolg was dat ik mijn baan kwijt was.

Nu had ik wel een probleem. Ik had er niet lang genoeg gewerkt om wat gespaard te hebben. Ik zat dringend om geld verlegen, of liever gezegd om een nieuwe baan. Maar stel dat mijn vader daar weer een rel zou schoppen? Nee, ik moest met hem praten, er zat niets anders op. Ik belde mijn vader en we spraken bij mijn ouders thuis af. Voor de zekerheid besloot ik een oude Pakistaanse vriend van de familie mee te nemen die wel eens voor me op was gekomen.

Later is me vaak gevraagd waarom ik contact met mijn familie bleef houden. In West-Europa is het misschien niets bijzonders om op je achttiende hooglopende ruzie met je familie te hebben, maar in Pakistan en de rest van de islamitische wereld is dat heel anders. Hoe erbarmelijk het ook mag klinken, het gezin is echt de hoeksteen van de samenleving, iets wat ieder kind duidelijk te verstaan krijgt. Pakistaanse kinderen brengen het grootste deel van de tijd in het gezin door. De kleine behuizing is nog zo'n belangrijke factor. Wanneer je achttien jaar niet alleen hetzelfde huis hebt gedeeld, maar ook nog eens in dezelfde kamer hebt geslapen, is het gevolg een mate van intimiteit en solidariteit die niet naar westerse maatstaven te meten is.

Ik was daarop geen uitzondering. Ondanks alles wat mijn vader en moeder me hadden aangedaan, bleven ze belangrijk voor me. Al liet ik het niet merken, hun dreigementen kwetsten me diep. Of ik nu christen was of niet, ik had nog steeds het gevoel dat ik hun dochter was, en als ze me afwezen, kon ik niet gewoon de draad van mijn leven weer opvatten alsof er niets was gebeurd. Er zou iets aan ontbroken hebben. En zo is het vandaag de dag nog steeds: die intimiteit, het gevoel van thuis zijn wordt door de Pakistaanse samenleving heel levend gehouden. Het is moeilijk te aanvaarden dat ik daar niet langer deel van uitmaak. Tegenwoordig kom ik nog dikwijls in de verleiding weer contact met mijn ouders op te nemen, en het enige wat me ervan weerhoudt, is het feit dat het mijn dood kan betekenen.

Juist omdat de familie zo belangrijk is in Pakistan, dacht ik niet dat ze echt iets ernstigs met me voorhadden. Daarom ging ik akkoord met de bijeenkomst. Ik zou er weldra achter komen dat de verplichtingen van het geloof zwaarder wegen dan bloedbanden.

Op 2 juni 2001 betrad ik met mijn Pakistaanse kennis aan het begin van de middag mijn ouderlijk huis. Mijn familie bleek ook niet alleen; ook Ahmed, mijn vaders vriend uit Sarleinsbach was aanwezig.

We wisten allemaal dat het een lastig gesprek zou worden. Mijn moeder bood niet eens chai aan, al waren er gasten. We gingen naar de huiskamer. Ik zat amper of de deur ging open en wie kwam er binnen? Salman! Hoe was die in hemelsnaam in Oostenrijk beland? Pas naderhand kwam ik erachter dat mijn ouders achter mijn rug om garant hadden gestaan voor hem, waardoor hij naar Oostenrijk kon reizen. Mijn halsstarrige weigering een visum voor hem te regelen was dus voor niets geweest.

Hij keek me zonder iets te zeggen aan en ging naast Ahmed zitten. Mijn vader vroeg of het verhaal over het christendom een leugen was, een nieuw excuus om onder mijn huwelijk met Salman uit te komen. Ik antwoordde dat de Bijbel me ervan had overtuigd dat het christendom duidelijk superieur was aan de islam. Vervuld van afgrijzen sprong mijn moeder op, maar mijn vader hield haar tegen.

'Zet daar onmiddellijk een punt achter! Je weet wat je te wachten staat als je zulke dingen zegt! Dan ga je naar de hel!' blafte hij.

Ik stond op. Dit was zinloos. Toen ik op het punt stond de kamer te verlaten, nam Ahmed het woord.

'Weet je zeker dat je christen wilt worden, Sabatina?'

Ik knikte en voelde de angst in me opkomen.

'Je weet toch wat er volgens onze godsdienst met jou moet gebeuren?'

Ik zweeg.

'Gewoonlijk zou je een bedenktijd van drie dagen krijgen,' vervolgde Ahmed. 'Wij geven je twee weken. Als je dan Mohammed niet meer aanvaardt, moeten we je doden. Gebruik die tijd goed. Dwing ons alsjeblieft niet tot iets wat we moeten doen.'

Het dreigement was zo plotseling en onverwacht, dat ik domweg verbijsterd bleef staan. Ik had geen flauw idee hoe ik moest reageren. Op dat moment stond Salman, die de hele tijd zonder een woord te zeggen had geluisterd op en liep naar de deur. Mijn vader herhaalde het dreigement en mijn moeder knikte.

'De eer van de familie gaat boven mijn leven of het jouwe,' zei hij. 'Wie ons geloof de rug toekeert verdient het te sterven. We zouden liever zelf sterven dan met deze schande te moeten leven. Laat het niet zover komen, keer terug tot je geloof.'

Totaal versuft greep ik mijn tas en haastte me naar buiten.

Radeloos belde ik mijn vriend Christian. Hij had me een paar keer gewaarschuwd om de reactie van mijn ouders niet te onderschatten en nu was het gebeurd.

'Je moet naar de politie gaan,' zei hij. 'Dit is echt een levensgevaarlijke toestand.'

Dat was nu precies wat ik had willen vermijden, maar Christian hield voet bij stuk. Uiteindelijk won mijn doodsangst het en gaf ik toe.

Ik vertelde de politieagent het hele verhaal van a to z: over de eerste moeilijkheden met mijn ouders, de mishandeling door mijn moeder, de vlucht naar het opvangtehuis, de reis naar Pakistan, de Koranschool, de verloving met mijn neef, mijn bekering tot het christendom en uiteindelijk de bedreiging met de dood die mijn eigen ouders en een vriend van de familie hadden geuit.

Ik moet bekennen dat mijn relaas klonk als het verhaal van een derderangs scenarioschrijver. Ik was achttien en in mijn korte leven had ik al meer beleefd dan de doorsnee volwassene in een heel leven. Het ergste was dat mijn hele verhaal waar was, het was precies zoals ik het had ervaren.

De politie liet er geen gras over groeien. Processen-verbaal werden opgemaakt, telefoontjes gepleegd.

'Hiermee kunnen we je ouders en Ahmed vastzetten tot we hun bekentenis hebben,' zei de agent.

Eerst vond ik dat een afschuwelijke gedachte, maar wat kon ik anders? Met een bezwaard gemoed gaf ik toestemming.

Ik belde Christian in de eerste de beste telefooncel om te bespreken wat me nu te doen stond. Ik durfde niet terug te gaan naar mijn appartement, omdat ik niet wist of mijn vader me daar al stond op te wachten. Christian was thuis, maar wilde me wel ontmoeten bij een van de tramhaltes in de buurt van zijn adres.

Maar toen ik daar kwam, was hij nergens te bekennen. De avond was gevallen en het stroomde van de regen, dus ging ik in het tramhokje zitten wachten. Ik was ten einde raad. Wat moest ik doen? Naar huis gaan en mijn ouders om vergiffenis vragen en beweren dat ik een goede moslima was? Zeggen dat mijn bekering maar flauwekul was? Zeggen dat ik bereid was met Salman te trouwen? Geen sprake van! Ik bleef wanhopig wachten in de tramhalte tegenover Christians huis, maar hij kwam niet. Na drie kwartier ging ik naar de dichtstbijzijnde telefooncel om hem nog een keer te bellen.

'Ik kom niet, Sabatina,' zei hij. 'Het is me te riskant. Het is beter dat we elkaar een tijdje niet zien. Zorg goed voor jezelf.'

En voor de tweede keer die dag stortte mijn wereld in.

De volgende paar dagen bleef ik thuis. Ik had geen baan en niemand met wie ik kon praten. Bovendien raakte mijn geld op, dus had ik geen andere keus dan naar een liefdadige instelling te gaan en om eten te vragen.

Kort daarop belde de politie om me op de hoogte te brengen van het resultaat van het onderzoek. Hoewel mijn ouders en Ahmed ondervraagd waren, beweerden ze dat ze nooit hadden gedreigd mij te vermoorden. Daarom zouden er geen stappen tegen hen worden genomen.

Als ik in die tijd iemand had gehad om mee te praten,

zouden me de gebeurtenissen van de zes maanden daarna bespaard zijn gebleven. Maar ik voelde me zo eenzaam dat ik me uiteindelijk gewonnen gaf: ik belde mijn vader om te zeggen dat het allemaal een vergissing was geweest.

Maar als ik dacht dat dit iets zou veranderen, zou algauw blijken hoezeer ik me vergiste. Integendeel, mijn ouders begonnen me weer onder druk te zetten. Ze belden voortdurend om te eisen dat ik thuis zou komen om mijn standpunt over de islam te verduidelijken. Opnieuw kwam mijn vader voor de deur van mijn appartement staan om te dreigen dat hij me met geweld mee naar huis zou nemen. Zodra mijn ouders erachter kwamen waar ik werkte, verscheen mijn vader om een scène te schoppen waar al mijn collega's bij waren. Toen hij dat twee keer achter elkaar had gedaan, werd ik weer ontslagen.

Ik speelde voortdurend met het idee om uit Linz te vertrekken en ergens anders een nieuw leven te beginnen, maar ik kon me er niet toe zetten.

Op een avond in het begin van 2002 ging de telefoon in mijn appartementje.

'Met mij, je man,' zei een stem. Het was Salman, van wie ik niets meer had gehoord sinds ik hem voor het laatst bij mijn ouders had gezien.

Vol weerzin hing ik op. Het voorspelde niet veel goeds. Kort daarna werd ik gebeld door de politie met de vraag of ik naar het bureau wilde komen om opheldering te geven over een probleem. Ik was sprakeloos toen ik erachter kwam wat er gaande was: mijn ouders hadden bij de politie een trouwakte van Salman en mij gepresenteerd.

'De akte is uitgegeven door de autoriteiten in Pakistan en gelegaliseerd door de Oostenrijkse ambassade in Islamabad,' zei een van de politiemensen. 'Daarom bent u volgens de Oostenrijkse wet getrouwd met uw neef, juffrouw James.'

Ik wist niet wat ik moest zeggen. Het was een leugen en het document was natuurlijk vervalst. Ik was in Pakistan niet met Salman getrouwd, ik was alleen met hem verloofd. Er was geen beambte bij de plechtigheid aanwezig geweest en ik had niets getekend. Maar mijn handtekening stond op de akte, al kon de eerste de beste leek zien dat die niet van mij kon zijn. Toen ik dat aan de politie vertelde, werd er wel een proces-verbaal opgemaakt, maar veel kon ik niet doen. De Oostenrijkse ambassade was grondig te werk gegaan: Salman, zijn ouders en alle buren waren ondervraagd en ze hadden allemaal bevestigd dat de bruiloft had plaatsgevonden. Het was duidelijk dat mijn verklaring niets voorstelde. De stappen die ik had gezet om dit huwelijk te voorkomen kunnen een heel boek vullen; ik was zelfs bereid een gelegenheidshuwelijk aan te gaan met een volslagen vreemde. Maar hoe wanhopig of dol van woede ik ook was, ik moest het aanvaarden: zonder ooit te zijn getrouwd of ooit een trouwakte te hebben ondertekend, was ik plotseling de vrouw van iemand van wie ik niets moest hebben.

Ik weet niet hoeveel ellende en geestelijke wreedheid iemand kan verdragen voordat hij breekt. In elk geval was mijn vermogen tot lijden enorm, en terugdenkend aan die periode kan ik me alleen maar afvragen hoe ik het heb kunnen volhouden. Intussen waren de Bijbel en mijn geloof in Jezus Christus de constanten die me de kracht gaven de druk van mijn ouders te weerstaan. Er ging bijna geen dag voorbij zonder dat ze belden, en als ik niet reageerde op hun beledigingen, verzonnen ze steeds weer een andere reden waarom ik naar huis moest terugkeren. Ze zeiden dat mijn grootvader ziek was en blind werd. Vervolgens beweerden ze dat mijn oom stervende was. Natuurlijk was dat allemaal mijn schuld. Vooral Salman bleef maar bellen en hij viel me steeds vaker lastig. Op een keer, in april 2002, dreigde hij zelfs met lichamelijk geweld.

'Waar zit je?' schreeuwde hij in de hoorn. 'Ik weet je te vinden, en als je niet meegaat, zul je ervoor boeten!'

In de loop van de maanden werd het steeds duidelijker dat er maar één uitweg uit mijn situatie was: ik moest vluchten, Linz de rug toekeren en ergens waar mijn ouders me niet konden vinden een nieuw bestaan opbouwen. In die tijd wist ik niet waar ik heen moest, omdat ik geen idee had hoe ver de invloed van mijn ouders reikte. Maar in dezelfde stad blijven was uitgesloten.

De definitieve breuk stond voor de deur. Zaterdag, 15 juni 2002 was de dag waarop mijn leven eindelijk veranderde. Ik lag nog in bed toen de telefoon ging. Het was zeven uur. Ik wist dat het een van mijn familieleden was, omdat niemand anders op dat tijdstip zou bellen. Het was Salman.

'Vervloekte teringslet die je bent, je hebt de dood van mijn vader op je geweten!' schreeuwde hij in de telefoon.

'Wat is er gebeurd, Salman?' Ik deed mijn best kalm te klinken.

'Dat weet je best, slet. Hij is gestorven. Van verdriet, omdat jij niet met mij wilt leven. Jij hebt hem vermoord, en ik zal je krijgen.'

De weken daarvoor hadden mijn ouders een paar keer gezegd dat Salmans vader ziek was en misschien eerdaags zou overlijden. Ze lieten geen gelegenheid voorbijgaan om mij de schuld te geven, maar dat nam ik niet serieus. Ik betreurde zijn dood, omdat ik altijd erg op mijn oom gesteld was geweest.

'Salman,' zei ik, 'bedaar een beetje. Ik heb hem niet gedood en dat weet je best.'

'Ik weet niets, helemaal niets. Mijn vader is dood en hij is gestorven omdat jij niet met mij wilt leven. Dat heeft hem het leven gekost en nu ben ik het zat. Jij ook met je onmogelijke ideeën! Ahmed had gelijk, je moet gedood worden. En dat is precies wat ik ga doen!'

Ik hing op. Salman was razend, dat was zeker. Zijn vaders dood had hem zo woedend gemaakt dat hij tot alles in staat was. Hij wist waar ik woonde en zou komen om me iets aan te doen. En volgens de wetten van de islam had hij daar ook het volste recht op.

In de voorgaande weken hadden mijn ouders er bij herhaling op aangedrongen om duidelijk mijn geloof in de islam te belijden, maar nu was ik volwassen genoeg om Jezus Christus niet nog een keer te verloochenen. Ik vond het antwoord in het Nieuwe Testament: 'Iedereen die mij zal erkennen bij de mensen, zal ook ik erkennen bij mijn Vader in de hemel. Maar wie mij verloochent bij de mensen, zal ook ik verloochenen bij mijn Vader in de hemel.' (Matteus 10:32,33) Ze moesten weten dat ik christen was, mijn ouders, Salman, Ahmed en mijn grootvader de muezzin. Ik was bereid daarvoor elke prijs te betalen.

En opeens was alles glashelder. Ik wist dat het zo niet langer kon. Mijn ouders zouden doorgaan mij te bedreigen en op een dag zouden ze hun dreigement misschien kracht bijzetten; zo niet nu, dan wel later. Was ik hier veilig? Dat wist ik niet zeker, maar ik wist wel dat ik me niet veilig vóélde. Niet daar, niet op dat moment en waarschijnlijk ook later niet. Ik weet niet of Salman die dag echt naar mijn appartement kwam. Ik wist alleen dat ik weg moest.

En dat is precies wat ik deed.

Die zaterdag verliet ik Linz voorgoed.

8

Tot nu toe heeft er geen moordaanslag op mij plaatsgevonden. Tot nu toe heeft er niemand ingebroken in mijn appartement, heeft niemand me opgewacht in een donker steegje, noch een specifieke schriftelijke bedreiging geuit. Ik weet niet of dat ooit zal gebeuren. Ik weet alleen dat ik bang ben.

Die angst is er. De angst dat mijn familie me volgens de sharia zou kunnen vermoorden. Die angst is zo groot dat ik geen normaal leven meer kan leiden. Ik leef er dag in dag uit mee.

Sinds mijn vertrek uit Linz heb ik mijn ouders diverse malen telefonisch gesproken en altijd met hetzelfde resultaat. Ze bedreigden me. Een keer zei mijn vader zelfs dat hij mijn grootvader zou laten overkomen.

'Grootvader is al oud, hij zal niet lang meer leven. Hij vindt het niet erg als hij naar een Oostenrijkse gevangenis moet.'

Zouden ze het echt doen? Ik weet het niet. De politie, die van mijn situatie op de hoogte is, evenmin. Een deel van mij kan het zich nauwelijks voorstellen dat ze me echt van het leven zullen beroven. Ondanks alles wat er is gebeurd, blijf ik hun kind. Maar een ander deel van mij weet van de sharia, die voor Pakistanen die in Oostenrijk wonen net zozeer geldt alsof ze nog in hun vaderland woonden. En volgens de sharia ben ik een schandvlek voor mijn familie, voor mijn hele clan en voor alle moslims. Volgens de sharia mag elke moslim mij doden, en in een islamitisch land zou hij daarvoor niet eens worden gestraft.

Sinds mijn vertrek uit Linz in juni 2002 ben ik constant op de vlucht. Eerst heb ik twee weken bij een vroegere schoolvriendin gelogeerd. Daarna ben ik naar Duitsland gegaan. Toen ik daar niet langer welkom was omdat mijn gastheer bang werd, ben ik naar Oostenrijk teruggekeerd. Via een voormalige collega vond ik een appartementje in Wenen, maar toen ik vlak voor de deur tegen een oude kennis van mijn ouders op liep, voelde ik me daar ook niet veilig meer. Ik verhuisde van de ene kennis naar de volgende en tegenwoordig woon ik in het appartement van een vriend, dat ook dienstdoet als zijn kantoor.

Het is een eenzaam bestaan. Ik heb amper contact gehad met mijn vrienden en vriendinnen in Linz omdat ik hun niet wil vertellen waar ik woon. In mijn nieuwe stad ken ik niemand. Hoe zou dat ook kunnen? 's Avonds durf ik de straat niet op, omdat ik niet weet of iemand me zal vinden. Ik doe geen boodschappen, ik ga niet naar de bioscoop en als ik naar de dokter moet, ga ik alleen in gezelschap van mijn kennis.

Ik heb ook doorlopend contact met de politie. Ze weten waar ik woon en vooral wanneer ik alleen ben, in het weekeinde, hoor ik dikwijls een patrouillewagen langskomen om te controleren of alles in orde is.

Ik weet niet hoe lang ik nog zo kan doorgaan. Mijn leven heeft heel weinig weg van wat ik me ervan had voorgesteld. Ik heb niet eens een baan, omdat het te gevaarlijk zou zijn om voor een bedrijf te werken. Mijn ouders zouden erachter komen en dan zou mijn vader weer langskomen om tegen me uit te varen. Op z'n best. Bij het zwartste scenario wil ik niet eens stilstaan.

Er zijn momenten dat ik mezelf de schuld geef van alles wat er is gebeurd. Dan vraag ik me af of ik soms te ver ben gegaan. Had ik mijn ouders niet met mijn bekering tot het christendom moeten confronteren? Dan had ik bij hen in de buurt kunnen blijven wonen en zou alles in orde zijn, althans voor hen. Dan zou ik niet voor mijn leven hoeven te vrezen en zou ik tenminste in mijn eigen onderhoud kunnen voorzien.

Maar dat wil ik niet. Ik wil mijn geloofsovertuiging niet hoeven te verbergen. Ik begrijp ook niet waarom dat nodig zou zijn. We leven in een beschaafd, westers land. Waarom kunnen ze me in hemelsnaam niet gewoon met rust laten?

Een paar weken geleden heb ik met Salman afgesproken bij een bushalte in Linz. Voor de zekerheid waren daar twee kennissen van me bij. Ik had gehoopt Salman tot rede te kunnen brengen. Hij is tenslotte even oud als ik en woont inmiddels twee jaar in Oostenrijk. Ik had gehoopt dat hij zou begrijpen dat ik me meer met dit land en de cultuur verbonden voel dan met Pakistan. Net zoals in Lahore had ik gehoopt dat hij een eind aan deze nachtmerrie zou maken door mijn familie zover te krijgen me eindelijk met rust te laten. Maar dat deed hij niet. Hij wilde er niet van horen omdat hij me niet begreep. We praatten een half uur en toen we uiteengingen, was ik nog net zo gedeprimeerd als daarvoor. Ik besefte dat mijn familie nooit van gedachten zou veranderen en reisde terug naar mijn onderduikadres.

Ik weet niet wat er nog voor moet komen kijken voordat ik eindelijk in vrede kan leven. Ik ben aan handen en voeten gebonden en kan niets doen, behalve afwachten tot de islam en het christendom elkaar beter zullen begrijpen.

EPILOOG

De verschijning van mijn boek, dat meteen een bestseller werd, veroorzaakte een mediahype in Oostenrijk en Duitsland. Het belangrijkste ogenblik was toen mijn vader me in een tv-programma openlijk als 'leugenaar' brandmerkte. En het ergste moest nog komen. Hij nam een advocaat in de arm om me te vervolgen wegens laster. De Oostenrijkse roddelpers publiceerde privéfoto's van me en omschreef me als een naaktmodel dat alleen op roem uit was. Ik voelde me net een opgejaagd dier. Opgejaagd door de media werd ik keer op keer bedreigd door leden van de islamitische geloofsgemeenschap. Ik had geen thuis meer en niemand die onvoorwaardelijk achter me stond. De enige troost in die tijd was mijn geloof in God.

Ik had mijn ouders in twee jaar niet meer gezien, maar op 25 april 2004 zou dat veranderen, zij het in de rechtbank. Ik beefde over mijn hele lichaam en mijn hart bonkte in mijn keel.

'Vandaag vecht ik niet alleen voor mezelf maar voor de rechten van duizenden andere vrouwen die in dezelfde situatie verkeren als ik,' zei ik tijdens de zitting bijna fluisterend. Ik vond het ongelooflijk moeilijk om te getuigen, zozeer zelfs dat ik mezelf op stotteren betrapte. Mijn moeder barstte in tranen uit en begon mijn uitgever vloekend te beledigen. Mijn ouders waren door de publicatie van mijn boek pijnlijk op hun ziel getrapt en te schande gezet. 'Ik wou dat ik uw tranen kon wegvegen en u kon omhelzen, moeder,' smeekte ik met heel mijn hart. Maar mijn ouders leefden in een andere wereld en ik kon hen daar niet uit halen.

Na mijn getuigenverhoor stroomde alle kracht die ik nog had gewoon uit me weg. Ik wierp nog een blik op mijn ouders, niet wetend of en wanneer ik hen ooit nog zou zien. 'Ik zal altijd van jullie houden,' snikte ik.

In januari 2005 was de uitspraak. De rechter kwam na afweging van de bewijslast tot de slotsom dat mijn verklaringen en die van mijn getuigen nauwkeurig waren en het boek in overeenstemming was met de feiten. Ik was vrijgesproken! Inmiddels woonde ik al in Duitsland. Mijn sterke verlangen om te zingen en te acteren had me daarheen gevoerd. Vrienden van een beroemde popster hadden me op tv gezien en vroegen of ik aan een nieuwe musical wilde meewerken. Al zou ik maar één strofe mogen zingen, ik was in de wolken.

Maar tegelijkertijd kwam ik weer met beide benen op de grond toen ik Aisha ontmoette. Ze was een Afghaanse die op haar dertiende was getrouwd en nu met twee kinderen in Hamburg woonde. Haar ouders waren door de taliban geëxecuteerd en zij was met haar man en kinderen naar Duitsland gevlucht. 'Alsjeblieft, Sabatina, help me!' smeekte ze. 'Mijn man mishandelt me en ze willen me weer naar Afghanistan deporteren.' Aisha's woorden herinnerden me aan mijn ideaal om een betere wereld voor islamitische vrouwen te scheppen. En dus stichtte ik in maart 2006 mijn hulporganisatie Sabatina EV.

Tegenwoordig helpen we behalve Aisha, die door mijn

hulp in Duitsland mocht blijven, vrouwen uit Pakistan, Syrië, Turkije en andere islamitische landen die moeten vluchten uit angst voor een gedwongen huwelijk, of moord uit eerwraak door hun familie. We geven de slachtoffers juridische bijstand en financiële steun en helpen hen aan een nieuwe identiteit dankzij maatregelen voor bescherming van slachtoffers. We hebben te maken met kindhuwelijken in Midden-Europa, met littekens achter sluiers en met vrouwen wier man de voordeur op slot doet wanneer hij naar zijn werk gaat, om hem pas weer van het slot te doen wanneer hij thuiskomt. Die vrouwen zitten de hele dag opgesloten. Hun dagelijks leven speelt zich af tussen het werken in de keuken en het baren van zo veel mogelijk kinderen.

Die werkelijkheid speelt zich af in alle landen waarheen moslims emigreren; wanneer ze het land binnenkomen, laten ze hun traditie en godsdienst niet zomaar achter op het vliegveld. De meeste mannen willen niet dat hun vrouw en dochters te westers worden, dus verbieden ze alle omgang met niet-moslims. Het contact met de islamitische gemeenschap is het enige contact dat die vrouwen met de buitenwereld hebben, behalve natuurlijk het contact via de moskee. Ik heb diverse imams gevraagd: 'Waarom worden er miljarden dollars en euro's in de bouw van steeds meer nieuwe moskeeën en islamcursussen gepompt, maar wordt er geen cent in de emancipatie van vrouwen gestoken?' Eén keer kreeg ik als antwoord: 'We betalen belasting, dus moet de staat maar voor dat soort dingen zorgen, niet de islamitische gemeenschap.'

Dat gebrek aan zorg werd aan den lijve ondervonden door de tweeëntwintigjarige Fatima in Oostenrijk toen ze andere vrouwen in de moskee om hulp vroeg. Haar man had haar bont en blauw geslagen omdat ze zich 'niet fatsoenlijk gedroeg'. Fatima, die krom liep van de pijn, vertelde me wat de vrouwen in de moskee hadden gezegd: 'Je hebt je man kennelijk niet goed genoeg gediend!'

Dat herinnerde me aan momenten in mijn verleden die me sindsdien elke nacht van mijn slaap beroven. Ik werd een keer wakker van het gegil van een buurvrouw die haar man niet goed genoeg had gediend. Destijds was ik nog maar een klein meisje toen ik me een weg door de mensen baande die zich om die vrouw hadden verzameld. Mijn hart bonkte in mijn keel toen ik haar stukgeslagen hoofd zag. Het bloed droop langs haar gezicht terwijl ze daar half bij kennis in de donkere kamer zat. Er kwam geen dokter om haar wond te verzorgen en er was geen zus om haar te troosten. 'Wat heeft ze misdaan?' vroeg ik aan de mensen om me heen. Nu, zo veel jaren later, hoor ik nog steeds haar kreten van pijn en de doodsangst in haar stem. Het is alsof er uit Pakistan zelf een schreeuw om hulp klinkt, het land waar de afgelopen paar jaar alleen al in een stad als Islamabad ruim vierduizend gevallen zijn gemeld van vrouwen die levend zijn verbrand. Wanneer ik iets over Pakistan in de pers hoor, gaat het meestal over terrorisme, maar de grootste terreurdaden worden begaan tegen vrouwen.

Ondanks mijn angst voelde ik me gedwongen naar Pakistan terug te gaan. Aan de ene kant was ik bang dat het er veel te gevaarlijk zou zijn, aan de andere kant had ik heimwee naar mijn vaderland. Omdat ik nog altijd onder politiebescherming leefde, stelde ik mezelf telkens weer de vraag: moet ik echt terug naar Pakistan en mijn leven in de waagschaal stellen? Het antwoord op mijn vraag kwam weer uit de Bijbel: 'Ik gebied je dus: wees vastberaden en standvastig, laat je door niets weerhouden of ontmoedigen, want waar je ook gaat, de HEER, je God, staat je bij.' (Jozua 1:9) Dat mag vreemd klinken, maar voor mij was het de bevestiging dat ik op de juiste koers zat.

De mensen van mijn slachtofferbeschermingsproject waren minder onder de indruk van die 'goddelijke ingeving'. Een van de politiemensen zei: 'Jij bent onze ergste nachtmerrie! Hoe kunnen we je nu beschermen als jij naar het land wilt gaan dat misschien wel het gevaarlijkste ter wereld is? Wij nemen geen enkele verantwoordelijkheid voor deze reis!' Ook het bestuur van mijn liefdadigheidsorganisatie weigerde me bij deze onderneming te steunen. Maar de belofte dat God achter deze reis stond, was voor mij voldoende.

In april 2008 zat ik op een vlucht van de Verenigde Arabische Emiraten naar Pakistan. Mijn enige metgezellen waren mijn bijbel, een cd van popster Xavier Naidoo en een hart vol liefde voor de mensen van Pakistan.

Toen het toestel op Pakistaanse bodem landde, barstte ik direct in tranen uit. Vele jaren daarvoor was ik op exact dezelfde plek geweest, maar toen was het in gezelschap van mijn zusje, mijn broers en mijn ouders. Het besef dat ik geen bezoek kon brengen aan de leden van mijn familie die in Pakistan waren gebleven, was moeilijk te verteren, maar de gedachte dat ik dit land iets van hoop kon brengen gaf me weer moed.

Bij de uitgang van het vliegveld stonden de leden van de Pakistaanse groep, een organisatie voor de mensenrechten, me al met een brede glimlach op te wachten. Zij zouden me op mijn rondreis van drie weken door het land begeleiden.

Ze hadden geheime bijeenkomsten belegd met mishandelde vrouwen die dringend om hulp verlegen zaten. En bovenal zorgden ze voor mijn veiligheid en namen ze me als een dochter op in hun familie.

Het begon allemaal op de derde dag na mijn aankomst. Om één uur 's nachts startte onze chauffeur de grote auto om ons van Lahore naar het zuiden van Pakistan te brengen. Omdat het april was en de temperatuur overdag al bijna veertig graden was, reisden we liever 's nachts. Maar we waren nog geen uur onderweg of de schrik sloeg ons om het hart. Om een uur of twee – het was nog aardedonker – werd onze rijstrook op de snelweg geblokkeerd door een Suzuki. Daarin zaten gemaskerde en gewapende mannen die iemand hadden vermoord. Ze wierpen het in dekens gewikkelde lijk naar de voorruit van onze auto. Onze chauffeur week uit, reed met grote snelheid over het lijk en ik werd door paniek bevangen. Met bevende handen haalde ik mijn bijbel tevoorschijn om keer op keer psalm 91 te lezen. Tot op de dag van vandaag kan ik amper geloven dat we die nacht hebben overleefd.

Een van de teamleiders zei: 'Kijk eens links!' Ik zag een lijk aan de kant van de weg liggen.

'Wat is er met hem gebeurd?' vroeg ik vol afschuw.

'Dit is Pakistan, lieverd. Een mensenleven is hier niets waard,' antwoordde hij met gebroken stem.

Op hetzelfde stuk weg zag ik dat een man een klap op zijn hoofd kreeg omdat hij een ongeluk had veroorzaakt. De menigte om hem heen joelde. Toen onze teamleider wilde uitstappen om de zaak 'op te helderen', hield ik hem tegen en gaf ik de chauffeur opdracht onmiddellijk door te rijden.

We stopten bij een benzinestation om de auto te laten repareren. De monteur, een jochie van zes met een gezicht vol smeer, kwam het gereedschap brengen. Zijn collega, die een jaar of veertien moest zijn, ging de auto wassen. Hun grote, droevige ogen braken mijn hart. Met tranen in de ogen stapte ik uit om te proberen hen tegen te houden. 'Als ze onze auto niet wassen, doen ze gewoon de volgende,' zei iemand. Ik haalde al mijn contanten tevoorschijn en gaf het aan hen. De kinderen keken me met grote ogen aan. '*Shukria!*' zei het ene. Het andere jongetje was stil gevallen. Ik was zo aangegrepen door de benarde positie van die kinderen, dat ik telkens wilde stoppen wanneer ik ergens kindslaven aan het werk zag. Al wist ik best dat ik het leven van die kinderen niet met een handvol roepies kon veranderen, toch deed het me goed dat ik een glimlach op hun gezicht kon toveren, al was het maar even.

Iets anders wat me tot nadenken stemde, was de afwezigheid van vrouwen in het openbare leven. Na een poosje ving ik af en toe een glimp op van een vrouw, maar altijd verborgen achter sluiers. Dat maakte me zo kwaad dat ik weigerde mijn eigen hoofd te bedekken. 'Die sluier is vergif. Ik heb er zo de pest aan!' zei ik tegen mijn assistente. Ze schrok er erg van dat ik ongesluierd door een van de gevaarlijkste gebieden van Pakistan wilde reizen. Dat was waarschijnlijk de voornaamste reden dat ik altijd een gewapende man aan mijn zijde had. Khalid, mijn lijfwacht, bewaakte me als een havik.

Na een reis van ongeveer zeventien uur waren we eindelijk op onze bestemming. Daar zouden we bijna twee weken blijven. De hotelkamer waar ik moest logeren was alles behalve gastvrij. Het wemelde er van de kakkerlakken. Het bad lag vol insecten, waarvan ik de meeste niet eens kon thuisbrengen. Ik liep een virus op door het eten dat ons werd opgediend en ik was er zo erg aan toe dat ik naar de dichtstbijzijnde kliniek moest. 'Je moet absolute rust houden!' zei de arts, en ze voegde eraan toe: 'Je lichaam is erg verzwakt en ik moet je een injectie geven.' Maar toen ik de hygiënische omstandigheden daar zag, bedankte ik beleefd. 'Nee, nee, geen injectie!' antwoordde ik met een zwak stemmetje en ik verliet de kliniek. Mijn collega's waren heel bezorgd, omdat de volgende vierentwintig uur de gesprekken met de mishandelde vrouwen moesten plaatsvinden. Er waren erbij die honderden kilometers hadden gereisd, alleen om mij te kunnen spreken.

De volgende morgen had ik nog steeds veel pijn en kon ik mijn eten niet binnenhouden. Vervolgens kwam mijn lijfwacht met een radeloos gezicht binnen. 'Mevrouw, we hebben alle vrouwen op een geheime locatie bijeengebracht. Helaas is een van de oudere dames onderweg door haar kwelgeesten doodgeschoten. Ze waren erachter gekomen dat ze zich tot een westerse hulporganisatie had gewend om haar recht te halen. Nu is het hier heel gevaarlijk geworden, vooral voor u. We moeten zelfs in het hotel blijven. Wat wilt u doen?'

Ik vroeg Khalid een poosje bedenktijd. Een bejaarde christelijke man uit ons gezelschap, die het gesprek had gevolgd, kwam naast me zitten en zei rustig: 'Kind van me, denk maar aan koningin Esther uit de Bijbel. Zij wijdde haar leven aan de bevrijding van haar volk. Misschien heeft God jou nu wel in een soortgelijke positie geplaatst en moet je net zo doen als die koningin om het leven van jouw volk te redden. Denk er maar eens over na.' Na zijn korte, maar roerende toespraak moest ik een paar keer aan Esthers woorden denken: 'Als ik moet sterven, moet ik maar sterven!' Het waren precies die woorden die me de kracht gaven om met pijn in mijn lijf en knikkende knieën naar de vrouwen te gaan voor wie ik naar Pakistan was gekomen.

Toen ik de massa vrouwen zag die op me zat te wachten, biggelden de tranen me over de wangen. Vrouwen zaten druipend van het zweet in gescheurde kleren op de grond en zodra ze mij zagen, stonden ze op en hieven ze een lied aan. Daarna kwamen ze een voor een bij me om hun tragische geschiedenis te vertellen. Van Shehnaz, die met een gezicht vol littekens voor me zat, hoorde ik: 'Mijn oom heeft me verkocht toen ik tien was. De man bij wie ik werd afgeleverd, trouwde vervolgens met een andere vrouw en zette mij op straat. Alle pogingen die ik heb gedaan om mijn kinderen te zien, eindigden in ruzie. De laatste keer sloeg hij me met een ketting. Sinds die tijd woon ik in een strohut zonder stromend water,' vertelde ze. Na haar kwamen talrijke vrouwen naar voren die in wezen slavin waren geweest van rijke, gewetenloze landeigenaars. Ze waren allemaal ontvoerd en verkracht.

Soraya, een vrouw van een jaar of vijftig, snikte: 'Een van de verkrachters, Mohammed D., heeft mijn zoon aan een boom geketend. Hij laat hem sterven van dorst, alleen omdat hij weigert te werken voor de verkrachter van zijn moeder. Mijn zoon sterft voor mijn ogen; niemand mag hem water geven.'

Toen ik met eigen ogen een paar van die kindslaven zag, maakte mijn verdriet plaats voor woede. Het waren kinderen die bij een temperatuur van veertig graden in een steengroeve werkten. Een moeder vertelde: 'Sommigen sterven aan slangenbeten, anderen door het drinken van water dat vervuild is door uitwerpselen.'

'Wat is uw grootste wens?' vroeg ik.

'Stuur ons handschoenen uit Duitsland zodat het werk niet meer zo'n pijn doet,' antwoordde een zachte, kinderlijke stem. Geen wonder dat ze daarom vroegen; zelfs de kleinste kinderen hadden handen die kapot waren en onder de blaren zaten.

'Nee, ik zal jullie geen handschoenen sturen, maar jullie daar weghalen en naar school sturen,' antwoordde ik. Ze keken me allemaal sceptisch aan. In een poging hun vertrouwen te winnen, gaf ik hun een heleboel snoepgoed en ijskoude frisfrank die ik had meegenomen.

Vandaar ging de reis naar Multan, een stad die al een paar keer door de taliban was bedreigd met een terreuraanval, omdat men dacht dat er een paar 'ongelovigen of christenen' woonden. Een van die zogenaamde ongelovigen was Ruchsana, een vrouw van vijfenvijftig. Alle moed was haar in de schoenen gezonken. Ik was nog niet bij haar binnen, of ze riep: 'Ze hebben hem vermoord! Ze hebben mijn prachtjongen geëxecuteerd!' Ruchsana's zoon van tweeëntwintig, Immanuel, was in dienst gegaan van het Pakistaanse leger en zijn eenheid was beschuldigd van moord. 'De moslims die de moord begingen, hebben de jonge Immanuel op de korrel genomen omdat ze wisten dat hij als christen in Pakistan geen rechten had,' vertelde een man die Immanuel goed had gekend. De jongen was naar de dodencel gestuurd, maar niemand nam de moeite zijn familie daarvan op de hoogte te stellen. Na zes maanden was er nog altijd geen bericht en ook geen spoor van hem, wat zijn vader zo aangreep dat hij aan een hartaanval overleed. Ruchsana verkocht al haar bezittingen om een advocaat te betalen en uiteindelijk vond ze haar zoon met behulp van een mensenrechtenorganisatie.

Onder bittere tranen vertelde Ruchsana me haar verhaal. 'Hij was naakt en uitgeteerd. Ze hadden hem vreselijk mishandeld. "Zoonlief, ik zal je hier weghalen," beloofde ik. Maar hij was heel bang. "Ze willen me ophangen, mama! Ik ben zo bang."'

Slechts een paar dagen later stond Immanuel voor de galg. 'Je mag een laatste verzoek doen,' zei een van de omstanders. Immanuel huilde: 'Zeg tegen mijn verloofde dat het me spijt dat ik niet met haar kan trouwen. Zeg tegen mijn jongste broer dat hij moet gaan werken zodat mijn moeder te eten heeft.' Dat waren de laatste woorden van een onschuldige man voordat ze hem executeerden.

Ruchsana vervolgde: 'Tegenwoordig zijn mijn andere zoons schoonmaker en mijn jongste van negen verkoopt groenten. Dat zijn onze enige inkomsten.' Ik hoorde ook dat Immanuels verloofde door het verlies van haar toekomstige man geestesziek is geworden en geen woord meer zegt. Ik zag zelf de foto's van Immanuels levenloze lichaam en was zo ontdaan dat ik die dag geen afspraken meer kon maken.

Nog dezelfde dag stond de Pakistaanse inlichtingendienst, de ISI voor het hotel om te vragen: 'Wie is die vrouw?' Natuurlijk bedoelden ze mij. We vertrokken spoorslags naar Multan. Ik had nog maar twee dagen voor mijn vlucht terug naar Duitsland en bad tot God dat ik Pakistan levend zou kunnen verlaten.

De eerste dag op Duits grondgebied kon ik amper geloven dat ik het had gered. Maar de ontreddering en het verdriet waarvan ik in Pakistan getuige was geweest hadden me zo mistroostig gemaakt dat ik een paar dagen kon spreken noch eten. Daarbij vergeleken vielen alle problemen van het

Westen in het niet als weinig meer dan zinloos gejammer.

Een paar weken later kreeg ik een uitnodiging van het Duitse parlement, de Bundestag. Daar vertelde ik vertegenwoordigers over de situatie in mijn vaderland.

Tot op heden heeft mijn organisatie Sabatina EV honderdvijftig 'slavinnen' in het zuiden van Pakistan bevrijd. De kinderen uit de steengroeve kunnen tegenwoordig naar school! Maar bijna tachtig procent van de Pakistaanse vrouwen is nog altijd analfabeet. Ik ben er heilig van overtuigd dat onderwijs Pakistan kan hervormen, en dat is de reden waarom ik een school in de Punjab steun om meisjes de kans te geven hun leven te veranderen.

Ons werk is alleen maar mogelijk door de aanwezigheid van Amerikaanse en Europese troepen in Afghanistan. Als die vertrekken, zou binnen de kortste keren in Pakistan de chaos losbreken en zouden de taliban alle scholen opblazen die wij hebben opgezet. En wat net zo belangrijk is: ik vrees dat Al Qaida zal proberen in Pakistan atoomwapens te ontwikkelen, zodat ze een nog grotere bedreiging voor het Westen vormen.

Ik ken veel rechtgeaarde mensen die tegen het inzetten van troepen in Afghanistan zijn. Die rechtgeaarde mensen zijn van mening dat er nooit aanleiding is voor oorlog. Maar is er aanleiding voor marteling, openbare executies, stenigingen en dictatuur? Rechtgeaarde mensen zijn van mening dat het probleem kan worden opgelost met een dialoog. Barack Obama zoekt het in een dialoog met de gematigde taliban. Zoals een Duitse Jood het stelde: 'Dus zou je met Hitler gaan praten om de oorlog te vermijden?'

Die goedbedoelde 'dialoog met de terreur' wekt niet alleen woede onder de Joden, iets wat me tijdens mijn bezoek aan Amerika in de zomer van 2009 opviel. Om veiligheidsredenen moest ik een poosje uit Duitsland weg. Op aanraden van vrienden besloot ik naar de Verenigde Staten te gaan. Maar een paar kritische geesten waarschuwden: 'De Amerikanen zullen jou als Pakistaanse nooit hun land binnenlaten!' Toch bleef ik bij mijn beslissing.

De eerste Amerikaanse beambte ontmoette ik op het vliegveld JFK en hij bestudeerde mijn paspoort weliswaar zonder zelfs een vermoeden van een glimlach, maar ik ontdekte ook geen spoortje racisme. 'Welkom in New York, mevrouw. Ik wens u een prettig verblijf,' zei hij. Toen ik de aankomsthal betrad en de menigte zwarten en Indiërs zag, merkte ik nog minder van vijandigheid jegens buitenlanders.

De volgende paar weken was ik te gast bij een christelijke familie uit Pakistan. Ik kreeg ook steeds meer belangstelling voor het leven van moslims in dit land van 'duizend-en-een mogelijkheden'. 'Als je Pakistan in New York wilt zien, ga dan maar mee naar Coney Island,' grapte een van mijn vrienden. En hij hield woord, want daar maakte ik kennis met een sfeer die me meer aan het centrum van Lahore deed denken dan aan de Verenigde Staten. De vrouwen droegen de traditionele salwar kameez en op de tv hoorde ik moellahs dezelfde Koranverzen zingen die ik in mijn *madrassa* (Koranschool) in Pakistan had gezongen. De jeugd was er iets moderner en ze wiegden op de klanken van Bollywood-muziek uit luidsprekers. Maar het viel niet mee de minachtende blikken van de vrouwen die mijn strakke spijkerbroek in de gaten kregen over het hoofd te zien. Ik probeerde er niet op te letten en richtte mijn aandacht op een overheerlijke *samosa* die mijn vriend voor ons had gekocht.

Maar mijn eetlust werd me algauw ontnomen toen Razia, een zesentwintigjarige christen, me onderbrak: 'Weet je wat moslims op mijn school zeggen? "Jullie christenen kennen geen schaamte, jullie kleden je als westerlingen en trouwen met wie je maar wilt!"' Terwijl ik me druk maakte over de intolerantie van de moslims in New York, prees Barack Obama de voordelen van de islam in een toespraak in Cairo. 'Heb je gehoord wat hij heeft gezegd?' vroeg mijn vriend verontwaardigd. 'Naar zijn mening is Amerika geen christelijk land! Als dit geen christelijk land is, wat is het dan wel?' Het gezicht van de islamitische kruideniersbediende lichtte op toen Barack Obama over de deugdzaamheid van Mohammed sprak en Koranverzen citeerde. Maar voor de christenen in Cairo die wegens hun godsdienst in de gevangenis zitten en degenen die in naam van Mohammed waren geëxecuteerd, was de toespraak van de Amerikaanse president meer een klap in het gezicht dan een verademing.

Helaas is de situatie over de hele wereld gelijk. Onze politici zijn voorstanders van de dialoog met de islam, maar sluiten de ogen voor de werkelijke problemen. Ze sloven zich uit voor toestemming voor het bouwen van nog meer moskeeën in Amerika, terwijl de kerken in Pakistan worden afgebrand. De politici zien er nauwlettend op toe dat niemand kritiek uit op de islam uit angst dat ze opnieuw de woede van Osama Bin Laden en zijn sympathisanten wekken. Sterker nog, Mohammed S. Hassan, oprichter van Bridges TV, een Amerikaans tv-station dat bedoeld is om door dialoog begrip te wekken tussen de godsdiensten, leek aan de buitenkant heel geïntegreerd en tevreden, maar in het hart van Amerika onthoofdde hij zijn eigen vrouw Aasiya omdat ze van hem wilde scheiden. Die 'culturele televisie' in New York zette me aan het denken.

Als ik naar mijn leven van tegenwoordig kijk, koester ik nog talrijke dromen. Nu ik de rol van stem van de gekwelde vrouwen op me heb genomen, wil ik me er sterk voor maken om mijn organisatie Sabatina EV ook in Amerika op te bouwen.

Ik hoop dat God de mensen op mijn pad zal sturen om dat ideaal samen met mij te verwezenlijken.

NOOT VAN DE SCHRIJVER

Jaarlijks worden er in naam van Allah duizenden vrouwen gemarteld en gedood. Alleen al in Pakistan zijn er de afgelopen jaren vierduizend vrouwen levend verbrand. Daarom heb ik 'Sabatina E.V.' opgericht om die vrouwen, en diegenen die zo'n vervolging vrezen, een stem te geven. Kijk met dat thema in je achterhoofd alsjeblieft goed om je heen in je gemeenschap en help ons een einde te maken aan eerwraak en gedwongen huwelijken. We kunnen niet wachten tot anderen onze toekomst veranderen, maar als we één stem laten horen en allemaal ons best doen, kunnen we een verandering op gang brengen.

Voor meer informatie over Sabatina E.V. kun je onze website www.sabatina-ev.de bezoeken of info@sabatina-ev.de mailen. We willen graag van je horen en alle steun is welkom.

Met mededogen,
Sabatina James

DANKWOORD

Allereerst wil ik Jezus bedanken, de grootste liefde van mijn leven. Daarnaast wil ik Ute en Sturzi, Günter en Susi, Günter B. en Rob bedanken voor hun geloof in mij. Ook wil ik dr. Justin Samuel en Angelina bedanken. Verder wil ik mijn dank betuigen aan mijn team in Pakistan – Monica en Ephraim, en natuurlijk Jan D. en Phillipus, omdat jullie me naar het juiste pad geleid hebben. Heidi en Doro, jullie zijn fantastische vrienden. Ook wil ik al mijn leraren, klasgenoten en vrienden bedanken die me gesteund hebben en me gevormd hebben tot de persoon die ik nu ben. En tot slot gaat mijn dank uit naar Dan en Ryan, dankzij jullie inzet samen met Rob kon dit boek gepubliceerd worden.